Le LIVRE de POCHE

JEUNESSE

FLEURS D'ENCRE

Jacques Charpentreau

Jacques Charpentreau est l'auteur d'une vingtaine de recueils de poèmes, de nombreux florilèges poétiques, de romans, de contes, de nouvelles, d'essais. Beaucoup de ses poèmes sont devenus des « classiques » et ils figurent dans des manuels scolaires français ou étrangers, car il a souvent été traduit, jusqu'en Russie, au Japon, en Chine. Il dirige la collection *Fleurs d'encre*.

L'AMITIÉ DES POÈTES

Les poètes de l'amitié

Marc Alyn - Willy André - Jean Bancal - Gilles Baudry
Raoul Bécousse - Gérard Bocholier - Hélène Cadou
Michel Calonne - Jean-François Chabrun
Jacques Charpentreau - Andrée Chedid - Luc Decaunes
Philippe Delaveau - Anne-Marie Derèse
Lucienne Desnoues - Jean-Luc Despax - Jehan Despert
Micheline Dupray - Marc Étienne - Pierre Gamarra
Georges Godeau - Vahé Godel - Jean Guichard-Meili
Luce Guilbaud - Arthur Haulot - Robert Houdelot
Jean Joubert - Bernard Jourdan - Vénus Khoury-Ghata
Frédéric Kiesel - Claire de La Soujeole - Jean Lestavel
Béatrice Libert - Françoise Lison-Leroy
Bernard Lorraine - Robert Mallet - Rouben Melik
Armand Monjo - Michel Monnereau - Jean-Luc Moreau
Colette Nys-Mazure - Jean Orizet - Gisèle Prassinos
Pierre Présumey - Jean-Claude Renard - Georges Rouge
Jean-Yves Roy - Pierrette Sartin - Lucy Torrekens
Jean-Pierre Vallotton - Liliane Wouters

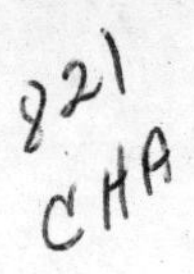

L'AMITIÉ DES POÈTES

160 poèmes inédits
réunis par
Jacques Charpentreau

Illustrations :
Bruno Mallart

HACHETTE
Jeunesse

L'amitié des poètes

Depuis toujours, l'amitié redonne confiance en la nature humaine dans un monde ravagé par les haines, les violences, les guerres.

À l'horreur de Caïn tuant son frère Abel par jalousie, s'oppose l'amitié exemplaire des jumeaux Castor et Pollux, les Dioscures (enfants de Jupiter), dont la constellation des Gémeaux brille dans notre nuit.

L'amitié d'Achille et Patrocle au siège de Troie est restée légendaire grâce au récit d'un vieux poète grec, Homère, auquel fait écho, dans notre langue, le récit d'un poète inconnu chantant l'amitié d'Olivier et de Roland à Roncevaux.

On admire l'amitié de Damon et Pythias : Denys le jeune, tyran de Syracuse, avait condamné à mort

Pythias qui demanda de s'absenter pour régler ses affaires. Son ami Damon se porta caution pour lui, il fut emprisonné et il devait être exécuté à la place de Pythias si celui-ci ne revenait pas. Mais au jour dit, Pythias tint parole et il revint. On pourrait dire, comme La Fontaine dans sa fable *Les deux amis* : « Qui d'eux aimait le mieux ? Que t'en semble, lecteur ? » Sans doute touché par cette affection réciproque des deux amis, comme nous le sommes encore deux mille quatre cents ans plus tard, Denys leur fit grâce à tous deux.

Ce sentiment si fort de l'amitié est difficile à expliquer. Au XVIe siècle, Michel de Montaigne, pourtant si fin psychologue, n'y est pas parvenu. Pour parler de son amitié envers son ami Étienne de la Boétie, il s'est contenté d'une formule bien banale – mais si juste qu'elle résume toute l'amitié et qu'elle a suscité plusieurs poèmes de notre livre :

« *Si l'on me presse de dire pourquoi je l'aimais, je sens que cela ne se peut exprimer qu'en répondant : parce que c'était lui ; parce que c'était moi.* »

On n'explique pas l'amitié : on la vit.

C'est ce que nous faisons chaque jour, comme l'ont fait avant nous tant d'amis célèbres ou inconnus.

Parmi eux, les poètes, qui nous ont laissé quelques exemples de grandes amitiés.

En 1547, Joachim du Bellay (qui avait vingt-cinq ans) rencontra Pierre de Ronsard (qui en avait vingt-trois) dans une hôtellerie des environs de Poitiers. Les deux jeunes gens sympathisèrent ; du Bellay suivit Ronsard à Paris. Ils y créèrent la Brigade, puis la Pléiade – et le cours de la poésie française fut changé. Leur amitié n'était pas exclusive. Parmi les sept membres de la Pléiade, « Ronsard et Belleau n'étaient qu'un », disait Ronsard lui-même.

Bien des « écoles » de poésie répertoriées aujourd'hui dans les manuels furent d'abord et avant tout des groupes d'amis, comme ces écrivains « classiques » si nobles, si grandioses, si lointains... Mais enfin, Boileau, Molière, Racine et La Fontaine trinquaient abondamment en bons amis au cabaret du Mouton-Blanc et à celui de la Pomme-de-Pin vers 1660 et « *l'envie, la malignité ni la cabale n'avaient de voix parmi eux* », dit La Fontaine en parlant de cette société des quatre amis. C'est sans doute en pensant à eux qu'il écrivit : « *Qu'un ami véritable est une douce chose !* »

Plus près de nous, les poètes de « l'école de Rochefort », dans les années 1940-1950, constituèrent avant tout un groupe d'amis. Le recueil *Louisfert-en-Poésie* de Michel Manoll, en souvenir de René Guy Cadou, est un témoignage émouvant sur une amitié devenue elle aussi légendaire.

On enferme ensuite dans des manuels et des dates ce qui a été le plaisir de la vie. Mais les poèmes de ce livre sont nés d'amitiés vécues.

Car les poètes d'aujourd'hui continuent cette longue tradition – puisque l'amitié est un sentiment qui appartient à tous les temps, toutes les sociétés, tous les âges.

Leurs poèmes expriment ce que nous ressentons tous si fortement, cette émotion qui fait battre notre cœur mais que nous ne disons pas, sans doute par pudeur, ce sentiment que nous connaissons bien, cette amitié qui s'offre souvent par le simple geste d'une main tendue.

Jacques CHARPENTREAU

PARCE QUE C'EST TOI

Au premier regard

Au premier regard
Sans un mot
Nous savions tout l'un de l'autre.
Une famille invisible
Nous réunit.
Point besoin de dire :
« Nous sommes amis. »
C'était ainsi depuis tout temps.
Une émotion ? À peine.
Pour moi, tu as toujours raison
Et moi pour toi.
Nous sommes prêts à tout l'un pour l'autre,
Tu donnes, je donne sans calcul.
Pourquoi ?
Ce plaisir léger, tenace,
Parfume, discret, pudique,
La vie
Meilleure qu'elle-même.

Frédéric KIESEL

Un ami

Un ami,
c'est une pomme bien ronde
à garder dans les mains,
les jours pointus,
les jours gelés,
les jours pendus à un clou
comme un manteau mouillé,
les jours à ne pas mettre
un chien dehors.

Un ami,
c'est une pomme bien ronde
à garder dans les mains,
un soir plus triste
qu'un autre soir.

Anne-Marie DERÈSE

À l'ami choisi

Dans ce pays bruyant, tout le monde s'embrasse,
Une ou deux fois toujours, trois ou quatre parfois.
Bonjour, bonsoir, on vient, on s'en va, on repasse,
On parle de télé, de motos, on jacasse,
On rit, on crie, on chante – et puis chacun pour soi.

Tu ne m'as jamais dit ces banales paroles,
Mais j'ai su que pour toi j'étais le bienvenu.
J'ai vu ton œil plus clair quand ma joie cabriole,
La tristesse en tes yeux quand mon cœur se désole,
J'ai compris ton silence – et je t'ai reconnu.

Jacques CHARPENTREAU

Le livre

L'ami marche sur le sable
sans plus de bruit que la rosée.

Pourtant je reconnais son pas,
je devine son visage.

Bientôt il va franchir le seuil,
souriant, me tendre le livre
qu'hier chez lui j'ai oublié
dans l'espoir qu'il me le rapporte.

Jean JOUBERT

Visite rassurante

La porte s'ouvre, l'ami est apparu,
Par sourire liant le jour d'hier à l'aujourd'hui,
D'un jonc paisible de lumière,
Jonc qui transperce et dissipe la peur,
L'anxieuse pensée tenue en haleine,
Pour laisser le cœur battre comme avant.

Le seuil passé, voici le calme intérieur
Et son miroir de livres sans fêlures,
La page avec la phrase interrompue,
Les images des compagnons, des souverains,
Porteurs de clartés et de larmes,
Et derrière la vitre pure,
Tout l'été du jardin à foison répandu...

– Cependant que la voix de l'ami s'élève
Pour le sacre furieux de l'espoir abusé,
Du feu trahi,
Et qu'apparaît, subtile, l'ironie,
Comme un salut suprême à la Beauté.

LUC DECAUNES

La voie royale

Ne dit-on pas
Que de chez toi
À chez moi
Il n'y a qu'un pas ?

C'est tout au moins ce que l'on croit
Ce que l'on voit sur le cadastre

Mais de ta maison à la mienne
Les aller-retour allongent le chemin
Tu m'accompagnes,
Je te reconduis
Tu me ramènes,
Je te raccompagne,
Je t'escorte une dernière fois,
Refais un bout de route !
C'est la dernière, cette fois...
Tu crois ?

Il durera jusqu'à demain
Le temps des copains
Il mènera jusqu'à toujours
Le trajet sans détour

Colette Nys-Mazure

Tu es...

Tu es la forme que j'habite
comme tu habites en moi.
Un seul cœur une seule voix
deux qui ne font qu'un être unique.

Cadeau des dieux notre rencontre
née sur les chemins du hasard
un bref éclair dans le ciel sombre
l'éternité dans un regard.

La solitude a regagné
les marais de l'indifférence.
Sur la barque de l'amitié
nous écoutons notre silence.

Pierrette SARTIN

Mon clocher

tu ne joues pas avec mes rêves,
tu ne joues pas avec mon cœur.
quand mon silence en rage crève
tu laisses place à mes malheurs.

tu ne crains pas mes insolences,
tu ne dis rien quand je dis non
mais tu refuses la violence.
tu mets de l'air dans mes poumons.

tu me délivres de mes chaînes.
et tu m'apprends à bien marcher.
tu es le cœur de mon haleine.
tu es le ciel à mon clocher.

Jean-Yves ROY

Si tu rêves...

Si tu rêves, prends ma main.
Si tu pleures
si tu pars
si tu perds.

Si la guerre
si la mort
prends ma main.

Prends ma main encore
si tu reviens.
Si tu trouves
si tu gagnes
si tu aimes
prends ma main.

Gisèle PRASSINOS

L'unité

Ne bouge pas. Je sais.
Ne dis rien. J'entends tout :
la clameur des lèvres muettes,
les orages des yeux fermés.
Je sais l'étincelle et la foudre
de tes silences.
Je te connais
par tes rêves blancs et noirs,
tes lâchetés, tes courages,
tes bonaces, tes ramages.
Ton cœur bat dans mon cœur,
je te déteste quand
tu te détestes. Je
marche avec toi, sur cette route
qui conduit à l'infini,
à l'aube, à la nuit éclatante,
au peuple des vivants.
Nous sommes l'unité.

Pierre GAMARRA

L'ami

L'ami est celui qui comprend
sans avoir besoin de paroles.
D'un seul regard il nous console
de nos chagrins petits ou grands.

L'ami est chaleur et lumière
il est la flamme et le flambeau
la source qui devient rivière
l'âme-sœur le frère jumeau.

Il est autre et pourtant nous-mêmes
notre reflet et notre écho
dans le miroir d'un seul poème
dans le secret du jardin clos.

Pierrette SARTIN

Ami

Ombre portée de moi-même
il fait le geste que j'allais tracer,
prononce avant moi le mot que je mûrissais
et ma joie s'épanouit dans son sourire.

Il est le plus fidèle
des faux miroirs.

Michel MONNEREAU

À l'ordre du vent...

À l'ordre du vent, dans la douceur d'une aile,
la graine nourrit ses miroirs de paroles chaleureuses.
Il suffit de marcher ensemble vers les érables,
de suivre quelques oiseaux,
de traverser les haies,
pour rassurer l'hiver qui loge en nous avec ses fers
et ses déserts.

Car j'ai parié sur l'ami
qui écoute et persévère dans le mirage.

Luce Guilbaud

Tu fais ton métier d'amie

Tu fais ton métier d'amie,
mon Amie.
Tu aimes et grondes
quand je m'égare.
Tu me donnes des rires,
des épines et des roses.
Tu es triste de ma tristesse,
joyeuse de mes joies,
endormie dans mes sommeils.
Nous nous parlons à lèvres closes.

Anne-Marie DERÈSE

L'ami venu de si loin

à Li Yu-min

Datant de plus d'un millénaire
Son rire est jeune et débonnaire,
Avec un air de mandarin
Ou de personnage ivoirin.

Il trouve du bon dans tout homme
Sans se décourager en somme,
Et refusant la cruauté
Li recherche où dort la beauté.

Mains aux gestes de porcelaine
Ayant vaincu tâches et peine,
Mains de fine perfection
Pour l'étude ou pour l'action.

Paris, ses toits et ses fumées...
Loin des collines parfumées
Li, tandis que descend le soir,
Boit le thé vert du Dragon Noir.

Claire de La Soujeole

Mémorial de Michel et d'Étienne

Et si c'était toi
Et si c'était moi
Comme deux ramiers
Sur un seul pommier
Ensemble vivants
D'un unique vent ?

Et si c'était toi
Et si c'était moi
Ensemble construits
Malgré neige et nuit
Par le double jeu
D'un unique feu ?

Et si c'était toi
Et si c'était moi
Et si c'était nous
Ensemble à genoux
Dans la double tour
D'un unique amour ?

Jean-Claude RENARD

Parce que c'était lui...

À cause d'un sourire
Ou d'une façon de parler,
De savoir combien douce est la terre
Et le nom des étoiles, le soir.

À cause des chevaux qu'il aime sur les prairies,
Des oiseaux dont il dit qu'ils voguent d'île en île,
Ou du silence de la rue
Tout emplie cependant de nos pas.

Ou de raisons plus simples encore ;
Un rien que j'aperçois
Un rien qu'il sait mieux que moi
Ou ce regard au moment qu'il regarde,
– Ou notre manière à nous de nous taire.

Il est lui et je suis moi,
Chacun sans raison d'être un autre,
Ni moi pour lui, ni lui pour moi :
Je pense à lui alors je sais qu'il pense à moi.

Philippe DELAVEAU

Parce que c'était lui

« Parce que c'était lui, parce que c'était moi »,
disait Michel parlant d'Étienne
Pourquoi sommes-nous amis, toi et moi,
pourquoi le gui préfère-t-il le chêne ?

Alors que le hêtre aussi pousse au bois,
qu'il pourrait au gui offrir son asile ?
Sur quelle raison baser votre choix,
Étienne et Michel, Hector et Achille ?

Comment expliquer ce qui va de soi ?
Pourquoi celui-là quand il est tant d'autres
Pourquoi le seul Jean parmi douze apôtres ?
Parce que c'est lui, parce que c'est moi.

Liliane WOUTERS

À l'amitié

(*trois épigraphes de la Grèce antique*)

1

Tu nous as réunis, je ne sais pas pourquoi,
Déesse des amis, sous tes secrètes lois.
Qu'importent les raisons ! Nous avons cru en toi,
Parce que c'était lui, parce que c'était moi.

2

Vers des pays lointains, il s'est aventuré.
Ne l'abandonne pas, veille sur sa trirème,
Ô Déesse ! Rends-moi cette part de moi-même
Et réunis bientôt les amis séparés.

3

Ô Déesse pudique, accepte la présence
De deux amis t'offrant fleurs et remerciements.
Au pied de ton autel ils gardent le silence,
Mais leurs cœurs sont unis des mêmes battements.

Jacques CHARPENTREAU

Pour toi

Pour la chance et la grâce de s'être rencontrés,

Pour nos mésententes cordiales nous apprenant qu'aimer
veut dire parfois s'accorder,

Pour n'avoir gardé que l'eau vive de nos instants heureux,
pour l'arc-en-ciel sur nos larmes levé,

Pour le don, le pardon et à nouveau cette grande clarté,

Pour la grâce hardie du souffle retrouvé,

Pour l'inexpugnable enfance où ensemble nous avons accédé

Pour la folle confiance dans la vie partagée,

Pour ta main, pour ta voix, pour nos pas étonnés,

Pour l'affection sans ride, sans détours ; pour la fidélité
dans la durée,

Pour ton absence où t'éloigner ne t'ôte pas de mes pensées,

Merci !

Gilles BAUDRY

Oh Jim

L'amitié un blockhaus tout au long de la vie,
En claquant des doigts sur : *Oh Jim.*
On les connaît ces fleurs d'automne
Sachant ébouillanter les joues.
Parce que c'étaient elles, parce que c'étaient nous,
J'oubliais la douleur dans nos parties de cartes,
Les jeux de mots bancals, les bourrades,
Nos silences épuisés, heureux, lucides, dans la nuit.
Notre humour était noir, peu sucré,
Comme le café que tu aimais tant frérot,
Frérot frère d'armes, jamais de larmes.
Tu les connais ces poupées tueuses
Qui savaient user nos genoux.
Parce que c'étaient elles, parce que c'étaient nous.

Jean-Luc DESPAX

Quand les soleils...

Quand les soleils sont déchirés
Par les remous du noir automne
On les regarde et on s'étonne
De les voir sur les toits givrés.

Ils glissent lourds et empesés
Dans les grands ormes qui frissonnent.
Les chats eux-mêmes déraisonnent.
Leurs yeux restent toujours fermés.

On ne voit plus les hirondelles
Autour des puits et des margelles.
L'arbre dessine au sol des croix.

Vienne le froid ! Vienne la neige !...
Je ne crains pas les vieux manèges
Grâce à l'Ami auquel je crois.

Jean-Yves ROY

Première

Tes mots sont des oiseaux
Qui vont de branche en branche.

Tes mots sont des ruisseaux
Qui mouillent mes dimanches.
Sans eux je ne saurais
Créer des atmosphères
Entre la source et la rivière.

Tes mots sont des secrets
Et je suis la première
À les voir de si près.

Jean-Yves ROY

À l'amie des mauvais jours

Grâce aux terres profondes
On sait la bonne source
Quand tout est sécheresse.

Ainsi de l'amitié.

Merci d'avoir donné
la sève des tendresses
au vieil arbre écorché.

Robert MALLET

L'essayeur

Celui qui cherche un ami essaye toutes les routes.

Il fouille une ville et vite se lave les mains, elles ne sentent pas bon.

Il plonge dans toutes les portes qui s'ouvrent, et généralement ressort par la fenêtre.

Il croise des passants dans la nuit, mais impossible de savoir s'ils regardent en face ou de travers : sa lampe ne marche pas.

Lui, il marche à s'user les pieds. Il a ouvert jusqu'aux portes des placards et n'y a trouvé que des pantins démantibulés, des poupées qui ne disent plus que « Bof ».

Le voilà sur le toit, on ne sait jamais. Et les oiseaux ne sont que des oiseaux, pas un ne sort de ses plumes pour tendre une main avec cinq doigts.

Essayons la cave ! dit-il. Il irait jusqu'à faire amitié avec un rat. Mais ceux qu'il rencontre le fixent de leurs yeux rouges sans aucune sympathie, puis vont à leurs affaires.

Il s'assied par terre complètement découragé. Alors celui qui l'accompagnait depuis le début lui dit : Allez, viens, on va essayer un peu plus loin. Tu y arriveras bien...

Et il ajoute avec amitié : imbécile.

Michel CALONNE

Confidences

Une île à la place du cœur
un oiseau
                une lampe
que sais-je

une autre voix
de l'intérieur
                un battement intime
de la lumière

un toit moussu
en pente douce
                offert à toi qui seras l'hôte
et la demeure.

Gilles BAUDRY

Chez Anne et Pierre

Incandescents points de repère,
Comme de fidèles vestales,
Le jour de leur premier concert
Leurs amis étaient dans la salle.

Chez Anne et Pierre jusque très tard
On boit, on rit, on fait la fête,
L'âme est sondée en trois regards,
Sa profondeur vaut bien des quêtes.

La nuit les bords de la Garonne
Se refroidissent peu à peu,
Les clameurs de l'électrophone
Se perdent au plus noir des cieux.

Chez Anne et Pierre : la Musique !
Les guitares trônent en reines,
Parfois leurs plaintes électriques
Changent l'appartement en scène.

Quand la place du Capitole
Se noie de monde et de soleil
Voici le temps du rock and roll
Chez ces deux princes aux yeux vermeils.

Jean-Luc DESPAX

Gulliver ou rien

quatre bottines au bord du fleuve
le saule a des airs de maison
il abrite nos jeux
nos rires   nos tartines
et ce secret transi

à toi la brume   à moi la rive
à nous le fil de l'eau
nous serons Gulliver ou rien
c'est écrit sur nos chemises Avion
les mêmes

coton des îles et grand serment
nous voilà pionniers ou corsaires
soleils livrés aux flots
sur la mer des enfances

Françoise LISON-LEROY

Septembre encore vert

On ne va pas laisser voir sa tristesse,
Et c'est triste de quitter la maison...
Il faudrait que l'été dure sans cesse.
Tournons la clé qui ferme la saison.

Nous avons tant joué que les vacances
Nous ont paru plus courtes que jamais.
Qu'est-ce qui va nous arriver en classe ?
– Es-tu sûr de revenir l'an prochain ?

Allons encore un peu sous la remise,
Là où nous avons gravé nos deux noms.
Qui peut les voir ? Rien que nous. On s'amuse
Tellement, maintenant qu'on se connaît.

Oh, que passent vite Noël et Pâques.
Les arbres là-bas jaunissent déjà.
Sur quatre fils veillent les hirondelles,
C'est ici le fief de Paul et de Jacques.

Jean GUICHARD-MEILI

Julien, Benjamin, François

Ils ont l'amitié bagarreuse,
indiens, soldats, brigands, pirates,
joueurs d'harmonica.
Ils sont trois
à pousser la barque,
à hisser la voile,
à détrôner les rois.

Ils ont l'amitié tapageuse.
Ils ne jouent plus :
à chat perché,
à pigeon vole.
Ils battent le rappel,
brandissent des drapeaux,
Allument des feux de joie.

Julien, Benjamin, François

Ils sont trois écoliers
à se tacher les doigts
et leurs fautes d'orthographe
sont leurs cris de guerre.

Anne-Marie DERÈSE

Quatre amis

Ils étaient quatre vrais amis
Dans ce pays roi des automnes :
Si semblables que l'on eût dit
À quatre une seule personne.

L'enfance les avait unis
Dès l'école en ces heures chaudes
Où c'est l'être entier qui choisit :
Alain, Raymond, Bernard et Claude.

L'un plus grand, l'autre plus petit,
Cheveux châtains, blonds ou bien noirs,
Quatre paires d'yeux qui sourient :
Raymond, Alain, Claude et Bernard.

Ils étaient, tels les Mousquetaires
Ou ces frères, les Fils Aymon,
« Tous pour un », et seuls sur la terre :
Claude, Bernard, Alain, Raymond.

Ils aimaient mêler leurs idées
Comme leurs voix dans les refrains,
Heureux d'ensemble respirer :
Bernard, Raymond, Claude et Alain.

Ils partageaient d'un même cœur
Le temps, les sous, les reines-claudes
Et les illustrés en couleurs :
Alain, Raymond, Bernard et Claude.

De ces espaces l'amitié
Élargissait esprits, regards
Aux dimensions du monde entier :
Raymond, Alain, Claude et Bernard.

Mais la vie coupe tout en quatre :
Les cheveux, les amis, selon
Les dures lois de son théâtre :
Claude, Bernard, Alain, Raymond.

Le temps a bien coulé depuis
Mettant chacun, puni, au coin,
Mais ils sont restés quatre amis :
Bernard, Raymond, Claude et Alain.

Marc ALYN

L'envers du tableau noir

le seul souci du maître :
nourrir l'élève
– son seul espoir
son rêve :
lui apprendre à mourir
pour qu'il puisse renaître
(lui faire découvrir
l'envers du tableau noir)

Vahé GODEL

LE TEMPS DE L'AMITIÉ

L'amitié

Elle est le vent sur la prairie
qui caresse les graminées
les mains douces des alizés.

Elle est l'aube sur la colline
la fleur offerte que lutine
de ses ailes le papillon.

Elle est la source qui jaillit
dans la nuit verte du vallon,
au fond du cœur une chanson.

Elle est l'oiseau venu du ciel
la colombe de l'espérance
portant le rameau de la paix ;

Elle est le Prince sous son heaume
qui nous conduit vers le royaume
où commence l'enchantement.

Pierrette SARTIN

L'amitié

Le cœur était à nu
Et les paroles clouées
Quand du fond des déserts
Accourut l'amitié

Encerclant mes épaules
Elle entraîna mes pas
Vers les autres et le large
La vie s'y multiplia

Un regard une main
Avaient chassé mes ombres
Ma voix reprit paroles
Mon cœur se fit jardin.

Andrée CHEDID

À l'amitié

Toi qui te nourris davantage
De tendresse que de raison,
Amitié (beau fruit qu'on partage,
    Mûr en toute saison)

Lorsque l'amour et sa blessure
Ne cicatrisent qu'à demi,
Offre-nous la main d'un ami,
    Plus savante et plus sûre.

Robert HOUDELOT

L'amitié...

L'amitié tu la tiens au chaud
pour l'hiver, quand il fait très froid
qu'il est bon d'avoir près de soi
une amitié comme un manteau

L'amitié tu la tiens au frais
pour l'été quand on va jouer
dans la mer ou dans la forêt
et que l'amitié rend plus gai

Mais l'amitié non ce n'est pas
seulement pour le chaud, le froid
c'est quand on a le cœur trop lourd
que l'amitié porte secours

Mais c'est aussi quand on est soi
plein de plaisir et plein de joie
et qu'un ami est malheureux
qu'on sent l'amitié pour le mieux

Tu rends espoir tu rends gaîté
à celui qui est ton ami :
son cœur alors te dit merci
et ton cœur à toi lui sourit

À deux contre le chaud, le froid
le chagrin ou le mauvais pas
on est plus fort qu'un monde entier :
c'est le miracle d'amitié.

Arthur HAULOT

Toast

Pour toi que je ne connais pas
et que je connais, frère sombre,
frère d'or, frère de lilas,
frère du silence et de l'ombre,

je bois l'aurore à satiété,
la brûlante, la transparente
et je donne aux brises errantes
ces mots où mon cœur est entier.

Que les ciels te soient tutélaires,
que tes greniers soient pleins de riz,
que les routes caravanières
t'apportent le sel des amis.

Que le crépuscule fraîchisse
et que la nuit aux flancs légers
vienne sur tes sommeils neiger
ses abricots et ses litchis.

Sache que je vogue avec toi
dans un lent murmure de voiles
vers le soleil et vers l'étoile
au bout des routes de la soie...

Pierre GAMARRA

Igor

Il est Directeur de la Galerie d'Art, agrégé, célibataire. Deux jours qu'il attend son chat.

Mince dans son costume bleu lors des expositions, son cigare calé, il erre dans la foule, muet.

L'autre soir, il est venu chez moi avec un copain. À la fin du dîner, il m'a proposé de passer plus souvent. J'ai rêvé. Machinalement, au moment du départ, nous nous sommes donné l'accolade nous qui d'ordinaire nous serrions à peine la main.

L'amitié, quand elle tombe, n'a pas de mesure.

Georges GODEAU

Je te donnerai...

Je te donnerai des tapis de cyclamens,
des éclats de lumière à travers les feuilles,
des écroulements de grappes dorées.
Je nommerai pour toi les choses qu'il ne faut pas heurter.
Je t'apprendrai à nouer les rêves,
à faire jaillir les arcs en ciel.
Nous nous apprivoiserons,
nous copierons le chant de l'alouette
et l'audace de ses trajets.
Ensemble, nous éteindrons la solitude,
nous tiendrons mieux debout.

Luce GUILBAUD

Le même regard

Le même regard sur les choses,
les mêmes choses dans le regard.

Devenir au creux de l'orage,
le ciel bleu de l'autre.
Finir par se confondre
jusqu'à ignorer
le vide de l'absence.

Lucy TORREKENS

Il suffit...

à R.C.

Très loin de moi, tout près de moi,
tu ne parles pas, je t'entends,
j'aperçois ton cœur transparent,
tes rêves dansent en moi-même.

Voici notre pain blanc ou gris
et le vin des vignes dorées,
voici l'août et la molle pluie
sur nos deux terres labourées

et sur nos récoltes tremblantes.
Il suffit d'ombre et de silence
pour que je répète ton nom
et pour que renaissent tes songes,

il suffit d'une rose morte
et des pétales dispersés
que jette vers nous le passé
et qui revivent en cohortes
dans le vent qui rabat les portes.

Pierre GAMARRA

Amitié

Le temps qui nous est accordé
De calme, douceur et soin tendre,
Comme joué parfois au dé
Et qui des ans se fait attendre,

Ce temps, tout en nous rapprochant,
Nous permet d'entrevoir l'abîme
Qui nous sépare. Et, me penchant
Je suis seule en haut de ma cime,

Sans espoir d'autres lendemains,
Car demeure fatal, il semble,
Le Cercle de Feu que nos mains
Ne pourront traverser ensemble.

Rançon d'un désir faisant fi
De toute approche périssable,
Jetant à la terre un défi
Pour bâtir plus loin que le sable.

Claire de La Soujeole

Bonheur d'amitié

J'ai des amis. Je pense à eux.
Mon cœur vient d'oublier le reste
du monde et je retiens mes gestes.
Je ferme seulement les yeux.

J'entends la vie en moi partout.
Le monde est beau. Je deviens bonne,
tellement bonne tout à coup !
Je sens mon âme qui foisonne

et j'aime la petite toux
qui me saisit et qui bougonne
pour dire que j'arrive au bout
de l'émotion qui m'emprisonne...

Micheline DUPRAY

Les poètes sont en marche

Les poètes sont en marche dans les rues de vos songes
Ils n'ont rien perdu des ruelles hantées
que l'on parcourt à deux le cœur plein d'épouvante
Ils se tiennent debout sur la grand'place bleue du silence endormi
S'il neige sur leurs paroles
c'est qu'un dieu a promis que dans la pâle nuit
le verbe dont ils vivent enfin serait nourri

Les poètes sont en marche dans les rues de vos songes
Amis n'oubliez pas leurs traces l'empreinte de leurs poèmes dans la noirceur gelée
Il se peut qu'ils vous tiennent chaud dans la pensée
Il se peut qu'ils vous sculptent un visage et des mains pour l'offrande et l'accueil
Il se peut qu'ils enferment vos alarmes furieuses dans l'amphore du vent

Amis ! Les poètes sont en marche dans les rues de vos songes
Ils arpentent l'oubli réfractaires du temps
Ils secouent les phalanges de l'orgueil provisoire
Ils sont âpres et vifs fougueux incomparables !
Ouvrez-leur dans le soir votre étroite fenêtre
Leurs mots de biais y passeront !
Leurs mots poudrés de fine neige
Leurs mots hosties de l'avènement !

Béatrice LIBERT

Quand on n'espérait plus...

Quand on n'espérait plus
voir s'entr'ouvrir la nuit
se calmer la tempête
et l'aube refleurir
sur les chemins de crête

L'Ami était venu.

Il nous avait tendu la main
offert le sel le vin le pain
la voie lactée et son royaume
ouvert la forêt enchantée
où l'oiseau d'or chantait les psaumes
de la joie et de l'amitié.

...Et nous qui étions faits d'adieux
de départs furtifs et d'errances
nous avons accepté l'offrande
signé le pacte d'alliance
avec l'ami des plus beaux jours.

Pierrette SARTIN

L'Autre

« Je ne sais plus de quoi nous nous taisions. »

(R. M. Rilke)

Prodigue
le ciel dilapide ses étoiles

en vérité nous héritons
de peu de mots

ils ont le poids de la rosée
sur nos instants

à nouveau le silence s'installe
entre nous

la distance nous entretient
laissant place à un Autre.

Gilles Baudry

Amicale des travailleurs

C'est entre gens du voisinage
À se passer le pain le sel
Dans cette offrande et ce partage
Que l'amitié se fait noël

Pour le plaisir de la rencontre
Où la parole est de bon jour
Sans regarder l'heure à sa montre
À chaque instant pour couper court

Et s'en aller, en sourde oreille
À qui raconte un peu son cœur
En murmurant peine pareille
Que depuis hier il est chômeur

Rouben MELIK

Lorsque la parole...

Lorsque la parole bute et se gèle,
que le nuage s'ensable
avec le départ des hirondelles.
Lorsque les étoiles s'étonnent
de leur propre désarroi,
je connais une maison
où la lumière n'est pas comptée,
où la parole colmate le noir.
C'est une maison à l'écart de la route,
c'est la maison de mes amis.

Luce GUILBAUD

Les vraies valeurs

Mon portefeuille est dans ma veste,
Mais la vraie richesse est dessous,
Qui n'est faite d'or, ni de sous...
Si j'en ai, que tu m'en délestes !

D'argent ? Pas question entre nous.
La spéculation empeste !
J'ai mon cœur sur une main preste,
Bourse bondée, qu'elle dénoue.

Pour t'acquitter, tu tends ta main
Chaleureuse comme du pain,
De celui qu'on nomme Amitié ;

C'est l'eucharistie des copains.
Succès, revers, bonheurs, chagrins...
On fait toujours moitié-moitié.

Willy André

Autrui

Examen de minuit
Pour un jeune Faust, entre
L'omniscience et l'ennui
Avec l'horreur au centre.
Et solitude et nuit
Dans son cœur se concentrent.

Et quelqu'un heurta l'huis.
– Le Faust a-t-il dit : « Entre. » ? –
L'Autre avança vers lui
Avec sa faim au ventre,
Dégoulinant de pluie,
Pour l'asile d'un antre.

Faust a dit : « Prends mon pain,
Mange jusqu'à la mie. »
Faust a dit : « Bois mon vin,
Bois-le jusqu'à la lie. »
Faust a dit : « Prends mon lit
Et dors tout ton besoin... »

« Mais toi, demanda l'hôte,
Qu'auras-tu, l'ami ?
– Moins.
Mais beaucoup plus... Mais autre... »

Willy ANDRÉ

Avec nos mains...

Avec nos mains retenues par les herbes
avec nos voix qui s'adoucissent le soir
avec les rochers de nos îles
avec le bleu de nos rêves
avec la poussière de nos enfances,
nous transformons nos douleurs en automne rouge,
nos pluies battantes en asters.
Et pendant les veillées d'après moisson
nous partageons les instances du Message.

Luce GUILBAUD

Oxygène

il m'a donné de l'air
et de l'eau en silence ;
il a mis du ciel clair
sur mon adolescence ;
il a peint sur mon cœur
des graffiti de neige,
des nuages, des fleurs
et des oiseaux-manèges.

il n'a rien demandé
en retour. il m'a dit
qu'on doit savoir s'aider
quand on est des amis.

Jean-Yves Roy

Viens, donne-moi ta main

Regardez les fleuves du sang,
ces Amazones d'épouvante,
regardez ces peuples d'enfants
affamés, regardez ces yeux
et ces ventres et ces poitrines
remplis des sables du désert.

Écoutez les cris des esclaves
et des enfants qu'on flagella.
Écoutez les hurlements noirs
des goulags sous la neige et les
cris des mères à Pithiviers...

Viens, mon ami, viens, donne-moi
ta main, marchons vers cette honte,
essayons d'effacer ce sang.
Si nous sauvons un seul enfant,
l'enfer sera diminué.

Donne-moi ta main. Il n'est pas
d'autre remède quand on veut
affirmer toute la lumière.

Pierre GAMARRA

L'appel de l'amitié

Ils n'entendent pas
l'appel de l'amitié.
Ils s'abrutissent de bruits,
de cacophonies, de pétarades.
Ils n'entendent pas
l'appel de l'oiseau qui revient,
de la petite source
qui se perd dans la bruyère.
Ils se grisent de fer et de poussière.
Ils n'entendent pas
la rumeur des roses.
Ils ne voient pas la main
plus grande que l'espoir.

Anne-Marie DERÈSE

Mirage

L'amitié est un élan l'un vers l'autre, qui dure sans forcer. Il arrive toujours que l'un des deux tire trop sur la corde et la casse. Et chacun de tomber à la renverse. Et se faire mal.

J'ai cherché ma vie durant une corde à toute épreuve et quand je la trouvai, il n'y avait plus personne ou presque pour prendre l'autre bout.

Un costaud, deux, suffisent.

Georges GODEAU

Rappelle-toi

Si la vie te blesse à bout portant
(ton corps geint sous la bourrasque,
l'amour tourne le dos,
tu vas sans repère dans la nuit qui gagne
et le long couloir gris des jours...)
pousse ma porte : je t'offre
le vin doux de l'amitié
et le blé de la vie qui lève
contre tous les hivers du monde.

Michel MONNEREAU

Inscriptions

Avec l'ami, la route est courte,
avec l'ami, la main est forte,
avec l'ami, s'ouvre la porte,
avec l'ami, la mort est morte.

*

Je sais ton nom. Ne le dis pas.
De très loin, j'écoute ton pas.
Ta voix sonne dans le silence,
ta voix est le silence même.

*

Mon puits est le tien,
ton riz est le mien,
nous avons le même manteau,
nous avons le même couteau.

*

Entre nous, les fleuves, les steppes,
les montagnes, les mers, les pôles,
entre nous, les eaux et les airs,
mais ta main est sur mon épaule.

*

La haine, le sang, le feu,
les garrots, les fouets, les géhennes,
les flots des crimes impunis...
Donne-moi ta main, mon ami.

*

L'ombre s'éclaire et je contemple
la route et je connais la nuit.
Donne-moi ta main, mon ami,
nous allons cheminer ensemble.

*

Une parcelle d'amitié
contient les visages du monde
et la terre et la mer profonde
et la courbe du ciel entier.

Pierre GAMARRA

Certitude

Je vis. Je suis bien.
Des festons d'oiseaux brodent mes matins.
Je sens le soleil, doux comme un museau
qui cherche ma main.
L'amitié m'emplit.

Je suis ce fruitier sans manque et sans pli
quand l'été revient.
J'écris grâce au grand courage des mots
qui me soutient.
Des enfants peuplent mon visage.
Sans peur je me jette au cou de mon âge...

Micheline DUPRAY

Amitié de l'été

Sous le parasol clair
des étés de vacances,
l'ombre joue avec l'air
au jeu des confidences.

Table de fer et chaises
ont été dépliées,
et les mots sont à l'aise
dans les phrases liées

au cœur par le cœur même,
cependant que l'instant
remplit de son poème
les coulisses du temps.

Jehan DESPERT

L'ami d'enfance

Tu tiens dans tes mains notre enfance,
Tu tiens le rire et le pain blanc,
La parole facile à dire
Pour le tout et pour le rien.

La simplicité te défend
Comme une armure étincelante ;
Tu vis entouré des flammes
Naturelles de la Gaîté,
Le cœur naïf et les yeux propres.

La confiance est ta maison
Aux grandes vitres de lumière,
Et ton âme s'y cache, entière,
Pour les souvenirs de plus tard.

Au sein de tant de misères,
La bonté garde pour toi
Sa puissance primitive,
Et la rose de ton rire
Ne connaît pas les hivers.

Pareil au sang qui circule,
Paisible, jusqu'à la mort,
Tu nourris de patience
Ma difficile amitié.

Ton regard n'a pas de rides :
Tu es la fidélité.

LUC DECAUNES

Mathématiquement tien

Deux paires de lunettes pour quatre yeux
Deux têtes sous le même bonnet
Un tandem   un ballon pour deux

Aucune semaine des quatre jeudis
Huit jours de congé
De grandes vacances à l'infini

Dix pastilles à la menthe
Soudées au fond de nos six poches
Plus de vingt tours dans notre sac

Une seule parole

À ce compte-là
Combien vaut notre amitié ?

Colette Nys-Mazure

C'est nous

à nous six les copains
Tigre   Surcouf   et La Ficelle
à l'aide   à la cabane
pour se croire en bateau
                    et se donner des ailes
toi tu prends les traverses
moi les planches vernies
Cyprien le grand mât
Léa tu plies les pieux aux quatre coins des arbres
c'est nous   à l'abordage
tu t'emplumes et je cueille
des flocons de nuages
gros plan sur les îlots
                                    les fauves solitaires
la prairie nous aimante

vélo et ventre à terre
ce soir nous dormirons scellés à l'aventure
comme des flibustiers

Françoise LISON-LEROY

AMIS DU SOUVENIR

Lettre à un ami

Il neige mon ami
sur la banquise de mon cœur

Il grêle mon ami
sur le gel de mes douleurs

Il pleut mon ami
sur la mare de mes soucis

Quand donc seras-tu là
pour repeindre ma nuit ?

Béatrice LIBERT

À l'ami lointain

Aujourd'hui,
comme tu aurais aimé
sur l'herbe vive d'avril
cet accord en bleu et blanc
du lilas
de la glycine
et de l'iris !
Toi qui crois
à la tremblante éternité
des beaux instants.

Jean LESTAVEL

Destins

Toi l'ami lointain
moi l'ami présent
les jeux du destin
ont brûlé nos sangs

Les feux des étoiles
ont glacé nos doutes
des cartes fatales
ont coupé nos routes

Ni soir ni matin
je ne suis exempt
de l'ami lointain
pourtant si présent

Bernard LORRAINE

Lettre d'ici

à toi ma page
ami volé des bords d'Asie
frère au juste prénom

tu me disais le large et ses lents coquillages
les papiers chuchotés
chiffons ou cerfs-volants

la mer t'a rassemblé
                    en même temps que l'ombre
ma lettre s'époumone
j'épelle
          les frontières

aujourd'hui mes yeux rament
sur l'horizon défiguré

Françoise Lison-Leroy

À l'ami Pierre

Ami Pierre le vent souffle en rafales...
Geint l'automne. L'hiver met sa chemise blanche.
Sait-on jamais, par-dessus mon épaule
vous lisez ce billet que je vous écris...

On dit de vous : « Il est dans son jardin,
sous l'arbre, il parle au feuillage,
il relit, en attendant qu'on vienne,
des chroniques, d'innombrables poèmes,

il s'émeut des saisons l'une après l'autre,
de la nuit tombante et de l'étoile tramontane,
des cris d'enfants dans la cour de l'école,
ces gamins qui si vite grandissent... »

Ami Pierre à quoi bon cette lettre ?
Que vous dire ? vous en savez tant plus que nous !
La nuit venue, porte close et fenêtres,
Au bruit du vent, rêvons, le chat sur les genoux...

Bernard JOURDAN

L'ami a traversé l'océan...

L'ami a traversé l'océan des brouillards.
Sur le pont du navire, il s'est retourné
une dernière fois.
Il vit maintenant de l'autre côté de la terre
dans un pays que je ne connais pas :
montagnes, forêts, gorges profondes
où gronde une mer d'émeraude.
Tant de beauté me hante et m'attriste
puisqu'elle retient captif celui que j'aime.
Dans l'âge, jamais je ne me risquerai sur cette route,
et lui sans doute jamais ne reviendra.
Entre nous, seules les pensées voyagent.
Aussi, chaque soir, je contemple la lune,
et, chaque jour, le soleil,
en songeant que la même lune,
le même soleil,
demain iront le visiter.

Jean JOUBERT

Cher ami ce matin

à Gellu Naum

cher ami
ce matin vos derniers poèmes
ont traversé les mansardes
tel un mince banc de truites
nous irons les relire au clair de lune
quand les enfants auront quitté la rive
je vous écris d'une haute vallée
surplombant le brouillard
au flanc des maisons s'amoncellent rougeâtres
des éclats de mélèzes fraîchement coupés
(en trouve-t-on dans vos montagnes ?)
nous vivons de lichen de seigle de résine
c'est un hameau à l'écorce rugueuse
toute noircie par les neiges
vous brûlez me dites-vous de traduire Théophile
quelle joie de vous savoir debout
votre langue est irriguée de murmures d'œillades
comme les palais arabes
ce soir en relisant vos poèmes
sur un chemin lumineux qui longe une forêt
nous goûterons tout ensemble

« la liberté du silence » (dont parle Théophile)
et le silence de la liberté
l'été s'achève
le foin tressaille dans les fenils
je vous serre les mains

Vahé GODEL

Miami

Nous tous, prisonniers du Hasard,
Rêvons parfois :
« Ô tous les amis que je ne peux avoir !
Ils dorment dans ces livres,
Vivent en d'autres villes,
Ne sont plus que des ombres,
Existeront sans moi. »
Il reste tant de jours de classe.
Il reste tant de jours de glace.
Sans eux.
Et je pleure la mort des possibles.

Jean-Luc DESPAX

L'ami perdu

J'ai bu tant de vin près de toi !
Je choisissais mes plus beaux mots,
Je les posais dans un panier
Avec des feuilles dans le fond
Comme on fait pour les champignons,
Je retenais les ronces devant toi
Et mon souffle bien souvent.
C'était toujours un matin froid,
Il y avait toujours de l'eau,
Du bois, du vent, et des corbeaux :
Tu savais bien que j'avais peur.
Tant de pain resté sur la planche,
Et tant de belles remontrances !
J'ai gardé tous tes souvenirs
Et j'ai bu tant de vin sans toi.

Pierre PRÉSUMEY

Les amis perdus

Et les amis perdus, au hasard des routes :
les égarés,
les morts,
les oublieux,
ceux qui laissèrent sur le papier
de minces traces,
ceux qui parlent au loin
avec une autre voix,
ceux qui ragent dans le désert,
ceux qui trahissent
et nous blessent.

De ces visages emportés,
que reste-t-il, au soir,
dans cette chambre vide ?

Jean JOUBERT

Les amis disparus

Ceux qui, la nuit, ne dorment pas,
Songent aux amis disparus,
Aux voix qui fondent comme un souffle
De vraie lumière dans le jour.

Si loin, si près l'ai-je connu
Est-ce bien lui, est-ce bien elle,
Elle si douce, qui sourit
En d'autres temps en d'autres lieux.

Les lointaines routes s'écartent
De nos yeux qui regardent : la bouche
Tente bien de crier ce nom
Qu'ont oublié les ombres qui attendent
Sur le rivage d'où la barque s'éloigne.

Et seulement le bruit des rames, comme une pluie,
Frappe le toit de la nuit qui s'attarde.

Philippe DELAVEAU

Amis lointains, souvenez-vous de moi

Amis lointains, souvenez-vous de moi,
quand vous achèterez la perle du Royaume
et fêterez la drachme retrouvée.

Balayez la maison de la cave au grenier ;
mettez de l'huile dans vos lampes
et remplissez de froment vos boisseaux,
pour qu'Élie voie la table prête,
lorsqu'il descendra de son char.

En vérité, Matthieu, le collecteur d'impôts,
a déjà fait ses comptes.

Amis lointains, souvenez-vous de moi,
à l'heure obscure où je devrai franchir,
seul et nu,
le trou de l'aiguille.

Raoul Bécousse

Que dirai-je à l'ami lointain ?

Que dirai-je à l'ami lointain,
S'il regarde par la fenêtre
Le ciel vide et la mer désolée ?

Je ne sais s'il m'attend,
S'il pense à ceux qu'il a quittés
Lorsque le soleil meurt sur l'île à l'horizon.
S'il se souvient encore de nos voix
Conversant doucement de choses familières
Près des arbres, le soir.

Depuis qu'il est parti là-bas,
La nuit a tenté vainement d'effacer son visage ;
Le son de ses paroles ;
Le souvenir d'un temps tranquille et doux.

Nous ignorions alors
Le rituel des départs,
L'insoumission de la distance.

Maintenant les journées se succèdent ;
Les arbres de l'automne, les premiers froids ;
L'hiver si prompt.
L'hiver.

Philippe DELAVEAU

Hivers

La main que l'on n'a pas tendue
lestée de froid

Le gant que l'on n'a pas gardé
lancé à la figure

Les doigts que l'on n'a pas croisés
raidis d'orgueil

Les bras que l'on n'a pas ouverts
bouclés comme deux hivers

Béatrice LIBERT

Lettre à quelques-uns

Je vous écris pour ne pas mourir,
ne pas céder aux couteaux du présent.
Si j'essayais à nouveau de ne pas vous trahir,
sauriez-vous seulement si je suis encor vivant ?

Avez-vous vu mon cœur que vous disiez comprendre,
étouffé dans sa gaine d'orties ?
Sans broncher vous passez près de lui :
vous n'avez cru croiser qu'un petit tas de cendres.

Ah ! que vous m'êtes loin à vous tenir si près,
si près de ce jardin où je ne puis entrer !
Aux flammes de la lune mon ombre sue –
mon âme criait et ma bouche s'est tue.

Écoutez le vacarme que font mes mains,
toute chair les fuit, leur souffle s'est brisé.
Si par le sommeil je cherche à m'évader,
un enfant familier m'y traite d'assassin.

Je vous écris d'un petit bout de chandelle
(et c'est peut-être la dernière fois).
Mon fantôme vous restera-t-il fidèle ?
Mais moi, voyez, je suis au bout de moi...

Jean-Pierre VALLOTTON

Je pense...

Je pense aux blancs soldats de Fontenoy
qui sont devenus la pâture et l'avoine...
Demeurent des drapeaux, loques pendues sous une voûte...

Au-delà de la salve et de la ritournelle
et moi aussi j'avais des camarades !
Mais le visage, le prénom, qui s'en rappelle ?
Et l'accent, qui le garde à l'oreille ?
Pas même moi, pas même moi.

Le souvenir est paille sous l'averse,
le feu prend mal, la fumée racle à la gorge,
s'ajoute au brouillard...
Qui était-il, béret marin, qui riait, sur la photo de classe ?
Et celui-là, son voisin, qui dut porter l'étoile jaune,
vers quel brasier, quelles fumées fut-il acheminé ?

Nous étions trois, dans la même baraque, en Lusace,
amis devenus. Deux nous restons, à la vie, à la mort.
Nous n'avons plus beaucoup de grain à semer...
Tant et tant qui ont faim, qui en meurent...

Frères de l'herbe et de l'éteule,
frères de l'orge et de la meule,
têtes baissées, cheveux tondus,
soixante mois, dans l'attente on ne sait de quels misérérés,
tout ça pour rien ? pour cette famine ?
ces frères qui s'égorgent ?

Non ! non ! je n'y peux croire...

Bernard JOURDAN

Aveugles

à Pericle Patocchi (1891-1968)

Aveugles
nous remontâmes
la rue de la fontaine
cherchant la couture
entre le corps et l'âme
foulant la chaux vive
et le goudron fumant
revenant sur nos pas
aveugles
pilleurs de caves
nous plantâmes
l'arbrisseau
à la cime du vent

Vahé GODEL

Souvenirs

Souvenirs, ils sont, mes amis
tant aimés, si vite partis,
souvenirs, oui, c'est bien le mot,
ces visages sur les photos,
ces destins filant leur histoire
autour de ma vie, en secret.

Au tableau noir de la mémoire
tu ne retrouves plus leurs traits :
le coup de chiffon du passé
les a pour toujours effacés.

Liliane WOUTERS

Cher ami à présent

à Jean Hercourt (1912-1965)

cher ami
à présent que tu n'es plus
je regarde la rue
d'un autre œil

légèrement je tressaille
lorsqu'un passant qui de loin te ressemble
descend la tête haute les mains vides vers le lac

je rebrousse chemin
j'appelle je réponds
je t'écris une lettre que tu ne liras pas

une mouette oscille sur le toit du monde

(ce cri
cette cambrure
cette blancheur fugace
embrase-t-elle encore ton noir désert de glace ?)

tu craignais l'ombre
le vent
le tranchant du matin

tu aimais la pierre
verticale
sans parure

tu craignais d'invisibles aiguilles

tu aimais
le silence des silures

Vahé GODEL

Mes amis de l'inaccessible

I.M.
Serge Michenaud (1923-1973)
et Roger Kowalski (1934-1975)

Mes amis de l'inaccessible
au front voilé,
quelle mémoire de l'été dans les collines
modula cette voix du vent
qui brisait le miroir des pierres
au battement de l'eau,
cœur trop fidèle au songe dérisoire
de l'invisible éternité ?

Raoul BÉCOUSSE

Matin...

Matin
De pure attente

Irons-nous
Vers cette colline

Où tu inscrivis ton nom
Au défaut du jour

Dans l'écorce
D'un arbre
Tendre comme une épaule

Le seul recours.

Hélène CADOU

L'inciné ré

Mon ami, mon ami, sur un gazon trop vert
J'ai vu semer tes cendres grises.
Nous ne pesons pas plus aux doigts de l'univers
Qu'une cigarette, une prise.

Le dense gaillard qu'on aimait
Inadmissiblement se disperse en fumée
Et sa vie, au souffle de mai
Fut sous nos yeux, par trois volutes, résumée.

Un être chaleureux, valeureux et savant,
Soudain, babiole, s'envole.
Les dieux sont des ingrats gaspilleurs et frivoles,
Aussi sauvages que le vent.

Lucienne DESNOUES

Égide, où es-tu parti ?

Égide, où es-tu parti ?
Mon camarade, tu me manques.
Tu choisis la mort, me laissant ici.

Nous avions si belle amitié.
Ensemble aurait dû s'achever.
Au ciel où tu t'es élevé
plus clair qu'un rayon de soleil
tu connais bonheur sans pareil.

Pour moi qui suis sur terre, prie :
je dois encor souffrir, fauter.
Garde ma place à ton côté.

Je chante encore un petit air.
mais chacun finit par se taire.

Égide, où es-tu parti ?
Mon camarade, tu me manques.
Tu choisis la mort, me laissant ici.

Liliane WOUTERS

(Adaptation d'un poème flamand du Moyen Âge)

Prière pour mes amis

Notre terre qui êtes aux cieux,
Lorsque mes amis débarquent,
Puissions-nous rire longtemps
Des fous et des imbéciles
Et surtout les oublier, légers, légers,
À coups de bras d'honneur en nous serrant les coudes.
Coups de pouce contre coup du sort,
Pieds de nez fugaces à la mort.
Car tu es poussière et tu retourneras dans l'œil.
Tu es lumière, même au-delà du cercueil.

Jean-Luc DESPAX

Amicale de la Résistance

C'est entre amis dans la cellule
Où sont parqués les partisans
Que se murmure et que s'y brûle
La lettre écrite avant le temps

Que dos au mur, les yeux bandés,
Soit fusillé leur camarade
La tête haute en sa parade
Où sont au jeu jetés les dés

Sur le plateau d'une balance
Où la justice est sans raison
De mettre au feu les mots que lance
Un chant montant de la prison

Rouben MELIK

Les pas de l'ami

I.M. Gilbert Dru (1920-1944)

Il a dit : Je lève mon verre
à l'aurore qui va surgir
des ténèbres de cette guerre.
Nous danserons dans la lumière
et verrons des roses s'ouvrir
aux lèvres de nos cavalières.

Il est parti. Nul ne savait
que l'abattrait une rafale
et que son sang, comme une étoile,
ce matin-là, le conduirait
vers le ciel auquel il croyait.

Maintenant, dans la nuit d'hiver
où la neige au-dessus des tombes
fait voltiger mille colombes,
je revois le grave sourire
et j'écoute s'évanouir
les pas de l'ami qui s'éloigne.

Raoul BÉCOUSSE

Nous étions deux camarades

Pourquoi lui
pourquoi pas moi ?

Nous étions deux camarades,
une balle est passée.

C'était mon ami,
c'était le meilleur

et c'est moi qui suis resté.

Jean-François CHABRUN

Les morts présents

Deux amis sont morts que j'aimais,
Évadés au mi-temps de l'âge,
Dans les yeux, avaient trop d'images
Pour ne pas vouloir les fermer,

Avaient gardé leur vrai visage,
Les rires pleurés de l'enfant,
Et leurs cœurs savaient, contre-chant,
Le surcri de l'avant-partage,

Possédaient cet air insolite
D'un futur déjà antérieur,
Pour ces longs corps venus d'ailleurs
Que notre terre était petite !

Dans leurs lourds regards tournés vers
Cette face à l'ombre de l'âme,
Dieu se voyait en filigrane ;
Lors, ils sont morts, vivant l'envers

De cet avers de chair visible,
Leur esprit a trouvé la claire
Amitié de Dieu ; moi, m'éclaire
Cette présence inamissible.

Jean BANCAL

Pérennité

Cette amitié qui nous rassemble
Ne pourra pas mourir. C'est sûr.
De plus en plus je te ressemble.
Mon ciel brouillé connaît l'azur.

Et si tu pars, un jour, ma peine
Sera plus douce que ruisseau
Car je saurai, quoi qu'il advienne,
Voir mon chagrin sur son verso.

L'ami qui part jamais ne brise
Les souvenirs qu'il a laissés.
Le souvenir est une brise
Les mots d'amis sont des baisers.

Jean-Yves Roy

Toi...

Toi mon prochain
Dans ton absence

Tu m'ouvres l'étendue
D'un ciel que tu bâtis

Pour que chaque fenêtre
Nous donne la parole

Chaque arbre l'envol et la vie.

Hélène CADOU

Nous sommes d'un ancien pays

Nous sommes d'un ancien pays d'images
Sans plus d'enchantements ni de féerie.
Ô mon ami souviens-toi de la porte
Qui s'est ouverte un jour et s'est fermée depuis.
Nous traversions ainsi la ville et ses palais,
Les taudis, les terrains vagues, les longs couloirs,
Les monuments et le sommeil des murs,
Jusqu'à ces escaliers qui aiment les sommets.

J'y reviendrai seul aujourd'hui.
Je sais pourtant que tu n'es pas mort
Puisque je songe à toi, et je songe à toi
Dans le dénuement du crépuscule, en silence,
Sous des étoiles sans clarté.

Voici : je t'envoie ce navire tremblant parmi les ombres,
Sur le fleuve d'étoiles jusqu'à la mer
Au loin qui nous sépare et nous rassemble.

Philippe DELAVEAU

Race de l'amitié

Race de l'amitié, terre par qui j'existe,
Étrange parenté qui me prête le pain
Foyer de bras qui me protège et qui résiste
Et me chauffe les doigts d'une flambée de mains,

Vous me formez un corps grandi, multiplié,
Un vaste cœur où bat le sang de l'univers ;
Par vous j'échappe, ainsi nourri, ainsi lié,
À la prison d'orgueil où s'use notre chair.

Plants drus, sèves têtues, feux d'arbres fraternels,
En moi, vous bâtissez une forêt d'espoir,
Par le pouvoir de la parole et du réel
Je sors de mon silence et j'entreprends de voir.

Paroles partagées, silences révélés,
Vous êtes le repas de la race des hommes,
L'eau puisée dans les doigts, le muscat que l'on donne,
La faim qui justifie la croissance des blés,

Et votre mort, avec ma mort, ne sera pas
La séparation : nous forgeons une chaîne
Qui dépasse les peaux et les os, chaque bras
Entre la terre et Dieu forme une étoile humaine.

Jean BANCAL

Denrées périssables

Le cœur que l'on reçoit couteau entre les dents
un chemin retrouvé aux rythmes de mémoire
deux bouches confondues ivresse d'un instant
l'énigme identifiée aux éclats du miroir

L'enfance parcourue comme un jardin d'amour
les lettres qu'on écrit à s'en écorcher l'âme
un prénom familier qui sans fin nous affame
le fil perdu du temps où s'épinglent nos jours

Un foulard embrassé comme une sainte étole
la poésie portée à hauteur de soleil
le coffret des mots tus dérisoires oboles
la prison de nos nuits gardienne de merveilles

L'amitié tenue à la force du poignet
la fraîche joue d'amour sous la lame des ans
patience du forçat qu'une ombre sauverait
le sourire forcé de l'éternel perdant

Les bagues les serments reconnaissance feinte
un refrain retrouvé la fin de la chanson
les justifications dociles qu'on emprunte
et la route coupée qu'aveugles nous suivons

Jean-Pierre VALLOTTON

Quelle est cette porte...

Quelle est cette porte qui bat ?
Quel vent hésite à notre seuil ?
Nous avons des amis qui se sont éloignés,
l'un, peut-être, revient, ou l'envisage...

Nous l'accueillerons avec des hosannas,
louange à lui qui retrouve nos bûches,
si nous pleurons qu'il ignore nos larmes,
si nous rions qu'il ne sache pourquoi.

Un ami qui revient, années qui s'effacent,
oubli, comme un canif perdu,
le silence, des mots qu'on ne dira plus,
le remords puisque tout est remords, risée qui passe...

Il faut qu'on chemine épaule contre épaule,
longtemps, chargé de pareille besace
et regarder dormir l'autre qui dort,
à l'abandon, les mains ouvertes...

Eh bien ! reviens, puisque nous sommes débonnaires,
le bruit de ton pas nous le reconnaissons,
la porte nous l'ouvrons à deux battants.
Quelqu'un sera content de nous.

Bernard Jourdan

Dans la rue qui n'existe plus

Dans la rue qui n'existe plus
Où s'est écoulée mon enfance,
J'avance vers des inconnus
Invisibles qui me devancent.

J'appelle mes amis perdus,
Je les hèle par leurs noms tendres,
Mais nul ne se retourne plus :
Ils rentrent chez eux sans m'entendre.

Où sont nos rires ingénus,
Nos jeux de bruit et de silence,
Tous les livres que l'on a lus
Et qui, en nous, vivent et pensent ?

Depuis longtemps il ne pleut plus
Comme il pleuvait dans ma jeunesse,
Et c'est en moi, à cœur perdu,
Passé, que pleurent tes averses !

Pourtant, je ne sais quelle errance
Me pousse à remettre, têtu,
Mes pas en ceux de mon enfance
Dans la rue qui n'existe plus.

Marc ALYN

Où êtes-vous ?

Où êtes-vous les sacripants
de mon enfance – jeux de barres,
jeux de drapeau, et les bagarres
dont on sortait clopin-clopant ?

Où êtes-vous, agates, billes,
les beaux timbres qu'on piratait,
petit couteau qu'on affûtait
au désespoir de la famille ?

Où êtes-vous, les vieux copains,
du temps de ma si vieille école ?
Quand ma dixième année s'envole,
déjà se desserrent nos mains.

Où êtes-vous, Marcel, Roger ?
Les oiseaux fuyaient à nos frondes.
La mer est toujours là qui gronde,
et j'en suis le seul naufragé.

Jean LESTAVEL

Mon ami d'école

Je n'ai eu qu'un ami
À la petite école.
Nous faisions le ménage
De la classe au matin.

Balayant le plancher
Qui sentait bon la craie
Et rendant au tableau
Sa nuit originelle.

Nous attendions le maître
Pour allumer le poêle,
Et nos rires montaient
Avec la flamme claire.

Où est-il maintenant
Que les dernières lettres
Ont toutes confondu
Leurs blancheurs éphémères ?

Je sais qu'en sa mémoire
Tremblent des majuscules,
Les pleins et les déliés
De ces années de craie.

Gérard Bocholier

Le camarade à lunettes

Rappelez-vous comme il mettait nus ses yeux clairs
Pour raviver minutieusement ses verres.
Et son regard se livrait au grand jour sévère,
Au froid face à face de l'air.

On avait un soupçon de peur à voir paraître,
Pauvrettement, ce trésor d'azur enfantin,
Comme si l'on sentait tout proche le destin
Retenant ses griffes de traître.

Pour peu, je criais gare à ces yeux démunis
Entre verres frottés et lunettes remises,
Deux fleurs, deux agneaux bleus, deux gamins sans chemise,
Tout seuls au bord de l'infini.

Lucienne DESNOUES

L'AMITIÉ DU MONDE

Le monde

Posée sur tes doigts, la mésange
Confiante, picore une noix
Dans ta paume.

Le petit enfant
T'écoute chantonner.
Front tiède blotti dans ton épaule,
Il s'endort.

Tu regardes les étoiles
Te dire en silence,
Dans une langue inconnue
Ce mystère :

L'amitié du monde.

Frédéric KIESEL

Amitié des choses

Je te le dis à toi, rien qu'à toi, presque à l'oreille :
des barques sur la mer c'est quasiment merveille,
pas tant que les voiliers voguant dans les bouteilles.

On lève l'ancre, on appareille, on ne redoute les naufrages,
on est la brise et la marée, le maître d'équipage,
on est à la dunette, on est au bastingage,

on est le mousse, on est le capitaine,
on est Ulysse à son mât de misaine,
on jette les filets, on pêche les sirènes...

Vaste est le ciel avec sa houle et son écume,
nuées pour archipels et pour phare la lune,
le vent dans les couloirs est sa corne de brume.

Et tu recueilleras tes bâtons flottants,
des bouteilles avec des messages dedans :
le plan d'un îlot, sa grotte aux goélands...

Une image d'un livre, un navire et son flacon de verre
on tient le monde entre ses doigts.

Je te le dis à toi, qui es mon jeune ami, rien qu'à toi,
très cher enfant, ami très cher.

Bernard JOURDAN

Je te donne ce poème

Je te donne ce poème,
le mot arbre, le mot maison,

et sentier, ruche, rivière,
mésange, jardin, lumière,

lune et soleil, nuit et jour,
étoile, sourire, amour,

le mot cœur, le mot caresse.

Je te donne la promesse
de l'amitié du monde.

Jean JOUBERT

Galets...

Un galet de la Manche
pris sur la grève à Saint-Malo,

un galet de la Méditerranée
recueilli dans une calanque,

l'un gris, veiné de perle fine,
l'autre couleur d'ocre et de farine,

tous deux, à se toucher,
posés par moi dans la soucoupe,

voisins d'abord, amis devenus,
trouvent des choses à se dire :

l'un des vagues d'opale et d'émeraude,
le flot et le jusant,
le goémon, les goélands,

l'autre des marinas, de la pinède
et devisent du sel et de l'écume
et du ressac et de la houle...

Qu'ainsi se parlent toutes gens,
chacun sans reproche et sans peur,
mêlant chagrin, s'il en demeure,
et les éclats de rire des enfants.

Bernard JOURDAN

Mes passereaux

Petit dieu à la Gorge Rouge,
Mésange, Bouvreuil, Pinson,
mes colorés de ciel,
vous êtes un peu de sang qui tremble,
une poignée de plume que le vent égare.
Roitelet,
Grive grise dans la douceur
des feuilles,
Moineau des sorbiers,
Rossignol, Alouette, Tarin,
Merle ivre de cerises,
Vous êtes de passage,
mes passereaux.
Un filet invisible est tendu
sur vos espaces.
Le piège se referme.
Un bruissement vous parle
de la sombre histoire des cages.
Vos chants ne séduiront pas le danger.
La peur faite homme piétine l'indicible.

Savent-ils
que les barreaux
n'enferment pas le rêve ?

Anne-Marie DERÈSE

La rose et le rouge-gorge

à Laurence Badie

Nimbé de froid, un rouge-gorge
voulut devenir l'ami de cette rose ultime
que l'hiver avait oubliée.
Ils tentèrent de se parler.
La fleur semblait réceptive. Le passereau chanta,
donnant un beau relief au petit soleil roux
qui réchauffait sa poitrine.
La rose ourla ses pétales, gomma ses aspérités.
Rien n'y fit. L'un et l'autre ignoraient
que le mot « amitié » ne signifie pas la même chose
dans le langage des roses et dans celui des passereaux.

Jean ORIZET

Un oiseau...

Un oiseau pour démesurer le ciel,
une pluie pour délivrer les fleurs,
un chat pour sourire en silence,
une forêt pour féconder le vent,
la mer pour partager les îles
et un ami pour sa présence.

Luce GUILBAUD

Je suis l'ami de l'ombre

Je suis l'ami de l'ombre
et de ce chien errant
qui traverse mon jardin bleu
et l'ami du lézard fragile
qui halète près de ma main
et de la blanche effraie
dans le soir élevée
au-dessus de mon toit
et qui tend sa voilure
vers la nuit... Et je glisse
avec cette colombe,
neige et carmin,
qui vient de flotter sur mon front
et qui me couvre de lumière.

Pierre GAMARRA

Mon ami

Sur le chemin discret,
mon ami le lézard
boit le soleil auprès
d'un caillou de hasard.

Toutes pattes dehors
et la queue émaillée,
mon ami fait le mort,
à le croire empaillé ;

puis s'éveille et s'amuse
comme pris de folie
et, si je ne m'abuse,
se voit en Paradis !

Si vous passez par là,
ne faites pas de bruit :
il vous reconnaîtra,
et je crois qu'aujourd'hui

mon ami sans pareil,
dans les herbes qui dansent,
vous fera confidence
de sa joie de soleil !

Jehan DESPERT

Mon ami le chien

Le jour s'est levé pendant la nuit
mais ce n'était pas l'heure

Si bien que de petits morceaux de nuit perdus
se sont promenés à travers la journée
mon ami le chien leur courait après

parce que c'était lui
mon ami le chien
qui avait fait ça

pour s'amuser
et pour que je ne m'ennuie pas.

Jean-François CHABRUN

Milou fantôme

Mon ami chien qui mourut
À mes chiens vivants se mêle,
Met le nez dans leur gamelle,
Partage leurs jeux bourrus.
Silhouette intelligente,
Yeux de jais intelligents,
Vif défunt de vif-argent
Que le clair de lune argente,
Fox en lainage rugueux
Et des plus fougueux qui soient,
Qui t'a succédé, mon gueux ?
C'est une setter en soie,
Une princesse du sang,
Flexueuse et mordorée,
Que suit, noir et frémissant,
Un loustic sans pedigree.
Héritiers de ton pays,
De tes aises, de ta laisse,
Comme ils ont vite envahi
Tous les vides que tu laisses,
Et de tes us et coutumes,
Qu'ils s'emparent bruyamment !

Mais tes doux abois posthumes
Doublent leurs durs jappements.
Je les aime sans réserve.
Jamais tu ne l'eusses cru.
Que dis-tu de ces intrus
Qui se servent, se resservent ?
Jamais nous ne l'eussions cru,
Toi, confiant, moi fidèle.
N'es-tu pas trop jaloux d'elle,
Mon petit chien disparu,
Ni de lui, ni de leurs danses,
Dis, n'es-tu pas trop jaloux
Quand ta mort se fait moins dense
À l'heure entre chien et loup
Et que d'eux tu te rapproches,
Brouillant ta piste avec leurs
Vadrouillages renifleurs
Et leurs cris à triples croches,
Qu'à leur feu tu te renflammes,
Bravant l'humain qui se croit
Le seul possible ayant droit
Pour l'éternité de l'âme ?

Lucienne DESNOUES

Euthanasie

Mon chien a un sarcome inopérable. Sur la table du vétérinaire, il souffre.

J'enroule mon bras sur son cou, j'appuie mon épaule sur la sienne et je lui parle doucement comme à la promenade. Il remue une dernière fois la queue.

L'homme qui le rase et pique la seringue est jeune et triste.

Georges GODEAU

Un chien, un oiseau

Dans mon garage, quand je pilais du pain pour les oiseaux, mon chien chantait. Nous allions sortir dans le jardin, saluer, remercier.

Maintenant qu'il est mort, j'écrase toujours des croûtes, seul, désespéré.

Pourtant, ce matin, dans le prunier, un oiseau, silencieux, était là. Nous sommes restés longtemps sans bouger. J'ai peut-être encore un ami.

Georges GODEAU

Que me veux-tu, l'oiseau ?

Que me veux-tu, l'oiseau ? avec ton œil rond,
ton œil inquiet ?
Tu trembles, l'oiseau,
tu vas, tu viens, tu m'appelles.
Hélas ! l'oiseau, mes pieds sont liés à la terre,
mon corps est sans plumes et mon dos sans ailes.
Je ne puis voler que dans ma tête et dans mes
rêves.
Mais ne pars pas, l'oiseau, ton amitié me fait vivre
et je partage avec toi les ciels du soir
et les aurores mouillées, les vagues de l'océan
et les espaces mouvants des marais.

Luce GUILBAUD

Celui qui te connaît...

Celui qui te connaît par ta voix, par ton pas.
Celui qui vient en passant te parler de ses chasses
et de ses nuits de prince errant.
Celui qui donne sans demander,
celui qui part sans dire adieu...
L'ami
Le chat...

Luce Guilbaud

Un vieil arbre

ayant appris notre existence
un vieil arbre s'apprête à franchir la montagne
et le fleuve
pour venir s'étendre sans bruit
auprès de nous

Vahé GODEL

Amitié de l'arbre

Amitié de l'arbre dans la nuit
contre les ruses, les
fantômes.

« Comment t'appelles-tu ?
dit l'enfant,
sapin ? platane ? chêne ?
ou bien bouleau ? hêtre ? cyprès ?
Il fait si noir
et la lune est si pâle,
je ne vois que ton ombre.
Parle-moi, aime-moi,
protège ma demeure ! »

À l'aube, l'arbre bouge
et c'est un homme,
qui sourit,
vêtu de feuilles et de branches.

Jean JOUBERT

Amitié de l'arbre

Un arbre nous regarde à travers la fenêtre
De ses milliers d'yeux verts : on dirait qu'il sourit
De nous voir rassemblés à la table de hêtre,
Nous de la maisonnée qu'il couve comme un nid.

C'est un très vieil ami, un arbre de famille
Qu'un grand-père a planté dans le temps près du puits ;
Son écorce est ridée mais, chaque année, scintillent
Des rameaux nouveau-nés ornés de jeunes fruits.

Depuis tant de printemps et des étés sans nombre
Il étreint la maison de ses racines blanches
Et chacun tour à tour a goûté sous son ombre
La fraîcheur embaumée que distillent ses branches.

Les enfants et les chats ont joué avec lui
Sous la lumière rousse et dorée de l'automne ;
Il a porté les fruits des étoiles, la nuit,
Et plus d'oiseaux chanteurs qu'une aube qui frissonne.

Aussi quand il regarde à travers la fenêtre
De ses milliers d'yeux verts, je sais qu'il nous sourit,
L'arbre aimé, l'arbre ami qui tous nous a vus naître,
Nous de la maisonnée qu'il couve comme un nid.

Marc ALYN

Mon ami le tilleul

Mon ami le tilleul compte sur mon silence
Pour tourner sur son ombre et danser dans la nuit.
Depuis que je suis né, son feuillage a confiance
Et m'ouvre en son parfum des plis de Paradis.

La neige, la tempête ont beau liguer leurs forces,
Le brouillard élever d'impénétrables murs,
Rien n'a jamais brisé notre amitié d'écorce,
Nos élans passionnés quand passe un souffle pur.

Que fera-t-il le soir où, partant sans bagages,
Je ne pourrai plus dire un adieu au jardin
Désolé, où ses branches noires sans courage
Guetteront mon fantôme errant sur le chemin ?

Gérard Bocholier

Être dedans

Savez-vous nager dans la feuille ?
gambader dans les flammes ?
grimper sur un nuage,
épouser une chaise,
un œil de chat, une fourmi ?
Connaître-aimer c'est se placer au centre,
entrer dans le royaume du miroir.
Les malins, les « blindés »,
les ricaneurs fiers d'eux devant leur glace
se heurteront toujours
au dur reflet de leur ricanement.
Ils ne seront jamais dedans.
Comment pourraient-ils voir
une simple main qui se tend ?

Armand MONJO

Arbres de Noël

Sa nuit était si noire,
Sa neige était si froide,
Si glacée sa résine,
Qu'un sapin de Noël
A poussé ses racines
Au ventre de la terre
Pour se chauffer les pieds.

À l'autre bout du monde,
Son ciel était si clair,
Son sable était si chaud,
Si brûlante sa fièvre,
Qu'un palmier de Noël
Les prit entre ses mains
Pour rafraîchir sa sève.

Bernard LORRAINE

Lymphatiques...

Lymphatiques   tricheurs   médisants
à susurrer des choses entre leurs feuilles
des va-nu-pieds qui ont peur des corbillards et des chevaux
de vils spéculateurs
  thésaurisent houx, cris de chouettes, lunes à leur
  premier quartier
exhibitionnistes et pourtant frileux
se dénudent devant le moindre automne
des mal voyants à moins qu'ils ne soient borgnes
regardent   toute leur vie dans la même direction

Des conventionnels surtout
tronc vertical
branches en croix
des arbres infréquentables... Les peupliers
un oiseau fixé sur le sommet s'étrangle à chanter l'amitié

Vénus KHOURY-GHATA

Le traître

Le tendre liseron sur l'épaule des fleurs
Pose en ami sa main légère.
Et puis très vite il exagère,
Il enlace, il embrasse, il devient étrangleur.

Lucienne Desnoues

Pour solde de tous comptes

Compte dans ton jardin tous les fruits qui mûrissent,
Ne compte pas au sol les feuilles qui pourrissent,
Compte sur l'agenda tes heures de bonheur,
Ne compte pas les jours où rôde le malheur,
Compte la nuit au nombre infini des étoiles,
Mais ne la compte pas aux crimes qu'on signale,
Compte ta vie au chiffre exact de tes succès,
Ne compte pas celui des échecs recensés,
Ne compte pas ton âge en argent, en années,
Mais au nombre croissant des amitiés glanées,
Et tu verras qu'au bout du compte
Tu n'as pas à en avoir honte.

Bernard LORRAINE

L'œil du monde

De jour de nuit d'en haut d'en bas
le monde nous regarde.
Autour de nous la foule des petites feuilles,
à nos pieds ces milliers d'insectes,
tout là-haut ces oiseaux
ces nuages pressés, ces étoiles pointues,
tout n'est qu'un œil qui veut nous voir.
Et aussi ce soleil curieux
qui se réfléchit sur les tours de verre
pour mieux apercevoir le petit homme
qui se croit seul sur le trottoir,
ce soleil allumé plein phare
qui fixe le chauffeur sur l'autoroute...
Même celui qui veut échapper au regard,
qui se camoufle et qui s'enterre,
celui qui se croit invisible
pour n'avoir jamais regardé le monde,
sentira grésiller autour de lui
les yeux infinis de la nuit,
des petits bruits et du silence...
Personne n'y peut échapper :
nous sommes tous sous le regard du monde.

Armand MONJO

Recevoir...

Recevoir du passant
la porte le pain le croissant
le surgeon d'un sourire.
Et avec lui le partager.

Ainsi
pour un instant spacieux
rejoindre la terre la vie.

Regarde
te voici vêtu.
Entends, la pierre soupire.

Gisèle PRASSINOS

À l'automne...

À l'automne
Ils se sont rassemblés
Ils ont tenu nos mains

Déjà nous n'étions plus
Que l'ombre de nos ombres

Sous leurs manteaux
Ils emportèrent nos visages

Peut-être
Pour les perdre en chemin ?

Hélène CADOU

En descendant de la montagne

Ce n'était qu'une main,
ce n'était qu'un regard
dans la vapeur d'une vallée,
ce n'était qu'un arbre rouillé
dans les songeries de septembre...

Ce n'était qu'un sang de merises
au flanc d'une cime voilée...
Le berger passait près de moi
derrière son troupeau houleux.
Je descendais à travers bois.

Et je regardais mon ami
flottant à travers les herbages
avec ses ouailles aux pieds gris
dans le miroitement des âges...
Et le berger me saluait

en tendant sa main vers les seigles,
vers les sapins, vers les nuées,
vers le soleil et vers les aigles,
vers les colchiques, vers mes yeux
et je lui rendais son soleil.

Et je lui rendais son salut
gonflé d'arbres et de pelouses,
de sel, de fleurs, d'azur profond,
de schiste et de neige éternelle.
Il s'en allait avec patience
emportant mon cœur et mon pain.

Pierre GAMARRA

Les amis de septembre

La tête vide
une boule de verre
(est-ce l'année qui recommence ?)

L'oiseau regarde
un nuage de plumes
s'envole.

Mais qu'est-ce que ça change
aux larmes froides du dimanche ?

La lune danse
tous volets clos
les feuilles sont folles.

La lumière s'éteint sous les paupières
un chien court dans la nuit
vêtue de roses
après le dernier autobus.

L'été s'est endormi sur les façades.
À petits pas voici les amis de septembre.

Raoul BÉCOUSSE

La marche

Prendre et donner : battement de la vie,
flux et reflux des corps des âmes.
Toutes nos joies physiques,
l'amour, le mangement, le boire, la caresse,
et nager et courir,
dilater ses poumons, ses muscles,
et les très hautes joies
du comprendre et de l'admirer,
d'épouser les enchaînements subtils,
les lois des découvertes,
et ces ivresses supérieures
du rêver, de l'imaginer,
et la révélation, beauté,
de tes terres d'outre-horizon...

Approcher peut-être du but lointain
de notre marche quotidienne
dans le déclic de la passion qui crée
objet, parole, être vivant,
casser le cercle du destin
la pellicule du cristallisé,
s'ouvrir à l'univers commun
et, du mur de l'inexorable,
se hausser jusqu'au fraternel.

Armand MONJO

Café matinal

La nuit, quand pavoise la lune,
je rêve de ce soleil brun,
de ce louis qui devient fortune
dans la cassette de mes mains.

Voiles dehors, il chante, il fume.
C'est un bol de vie qu'il me tend.
Bon an mal an, je me consume,
à la jeunesse il se suspend :

Sa jeunesse de brésilien,
muscles d'or, entrain sans limites
où parfois se loge un parfum
d'Arabie qu'on dit saoudite...

Tout ce qui peut loger dans l'homme
à l'année ou sur le moment,
de bonnes, de mauvaises pommes
au verger cru des sentiments,

je m'en décharge en te buvant,
ô café, mes noires délices !
toi que je veux l'ami complice
du dernier matin qui m'attend.

Micheline DUPRAY

Ami le monde...

Ami le monde
Amies les ailes

Amies la racine
Et la tombe

Ami
Le grand ciel qui m'éveille

Amies tes mains
Et ton regard

Amie la peine.

Hélène CADOU

Ami, je te salue...

Ami, je te salue, frère entre les frères !
Pose la main sur ta poitrine.
Il bat ! Il bat, le cœur du monde,
poing serré à l'angle de ta nuit.
Écoute... Il crie, il prie.
Chante-la, cette prière.
Que l'eau fleurisse nos déserts !
Ami, je te salue, frère entre les frères !
Je vais, à pas légers, à la rencontre de l'instant
qui nous réunira.

Béatrice LIBERT

Amitié

Je sais une amitié à faire pleurer les roses
Quand la pluie élit domicile dans ma tête
Et la gorge serrée refoulant les gouttelettes
Un regard sincère sur ma tristesse se pose.
Je la sais si fidèle si douce et rayonnante
Lorsque le besoin s'en fait sentir. Au reste
C'est tellement vrai que sur un simple geste
Je la sens près de moi combien permanente.
Celle-là même que j'ai souvent cherchée
Comme l'alchimiste cherche le métal précieux
Alchimiste moi-même j'ai recherché les yeux
Qui d'étoile en étoile pouvaient me rassurer ;
Ces yeux-ci sur une eau dénuée d'amour
Je les ai trouvés, sans avoir besoin de paraître,
Avec leur air translucide ils ont envahi mon être
Pour éblouir finalement, un nouveau jour.
Cette amitié m'a tant et tant fait la cour
Qu'il me serait impossible de m'y soustraire
Car pour apprendre à mieux lui plaire,
J'ai dû me camoufler de milliers de nouveaux jours.

Marc ÉTIENNE

Demain

l'hiver retrousse ses chaussettes
sur le sentier fleuri d'écorces

tu dors au large d'une ombrée
je marche dans tes bottes

nous avons encordé nos pas et nos paroles
nous nous sommes frôlés
comme se disent les arbres

petit frère   mon ami   mon saule
l'oubli n'aura pas ton regard
ni tes bretelles reverdies

demain nous guetterons
                                        sac au dos
la buse aux ailes végétales

Françoise LISON-LEROY

À l'instant...

À l'instant
Du cri
La louange

Comme si le corps
Ne pouvait plus que chanter

Chanter l'autre
Qui offre son regard au monde.

Hélène CADOU

LA FANTAISIE DES AMIS

La petite fille

La petite fille
n'a que des amis :
des amis gens
des amis fleurs
des amies maisons
et des amimaux.

Michel MONNEREAU

L'ami de la vague

L'ami de la vague
Divague à demi
Devant les mille bagues
Que le vent a mis
Aux doigts de ses rêves

Georges Rouge

L'amie Gamma

Je suis bergère
Des trois étoiles
Alpha Bêta et Gamma
Demandez-moi qui je préfère
Je ne vous le dirai pas

L'une me suit
L'autre me précède
Mais la troisième
Gamma
Que je sois triste blessée ou laide
Comme je vais
Elle va.

Andrée CHEDID

Parti sans laisser d'adresse

J'avais un ami de nuit
À l'insu de tous
À la barbe de maman
Un intime plus discret qu'un murmure étouffé
Chevalier sans peur mais pas sans reproche

Tour à tour cabri diable hibou
Chat de gouttière
À m'enrôler sur les corniches
Entre les tuiles débridées

Avec lui je défiais
Les voleurs d'enfants
Je bravais les bandits
Planqués sous mon lit
Je leur riais au nez

J'avais un ami cette nuit
L'aube me l'a repris

Colette NYS-MAZURE

Toast

Avant d'honorer la soupe,
Tous debout et tous en chœur,
Comme on lève notre coupe
De pétillante liqueur,
Trinquons, en levant nos cœurs,
À la santé de la Troupe !

Willy ANDRÉ

Allons au bois

Sans tambour ni trompette,
mignonne mignonnette,
allons au bois du roi
d'il était une fois

danser à perdre haleine
sur l'air des marjolaines
et faire la grimace
au vilain temps qui passe !

Tous les prés sont à nous
d'herbe jusqu'aux genoux,
et le ciel est en fête
quand l'eau du lac reflète

un espalier de roses
où les nuages posent
un manteau de velours
couleur de point-du-jour.

Mignonnette mignonne,
j'ai pour toi des couronnes,
comme en portent les reines
des beaux contes à traînes

dans l'amitié des bois,
où l'écureuil, en bonds,
célèbre notre joie
sans tambour ni clairon !

Jehan DESPERT

Les agapes

Franchissez le seuil, mes amis !
Le couvert, fièrement est mis,
En verve la salade, en gloire le salmis,
Le feu vif, le vin grave et les tartes hilares.
S'agit d'honorer les dieux lares,
S'agit d'ensemble honorer les dieux lares.
Ne vous servez pas à demi.

Mais quand s'agira, j'en frémis,
De franchir en rangs de fourmis
La frontière où le moindre passé se déclare,
Les octrois dont saint Pierre est le très haut Commis,
Péché nous sera-t-il remis
D'avoir honoré les dieux lares,
D'avoir ensemble honoré les dieux lares
Beaucoup plus qu'il n'était permis ?

– Oui, péché nous sera remis :
Bien plus qu'entre gourmands nous sommes entre amis.

Lucienne Desnoues

SOS Amitié

Dans l'escargot lacté de notre galaxie
Scintillent des millions de tourbillons d'étoiles,
L'une de ces étoiles se nomme le soleil,
Autour de ce soleil se promène la terre
Avec ses océans, ses mers, ses continents
Pointillés par les traits abstraits de leurs frontières,
Continents lézardés en pays, en nations.

Quelque part dans ce puzzle il y a ma maison,
Dans ma maison ma chambre, et là, il y a moi,
Un point, un grain, un rien. Un tout, un être humain
Parmi les cinq milliards cinq cents millions ou plus.

Oui, sur la terre, il y a moi, il y a toi,
Il y a nous, il y a vous, il y a elles.
J'en connais quelques-uns, j'en connais quelques-unes...

Mais là-bas, ou là-haut, au-dessus de là-haut,
En dessous de là-bas, dans quelque Galaxie
J'ai peut-être un ami, un copain, une amie
Que je ne connaîtrai jamais.

Bernard LORRAINE

Du bord de l'eau au fond des bois

Pour Michel et Jean

La rivière

Quand je descends vers la rivière,
Je n'y vais pas sans mon ami,
Je le mets dans ma gibecière,
Nous guettons ensemble midi.
Quand il revient de la rivière,
Mon ami me tient contre lui,
Dans sa poche, avec quelques pierres,
Où j'attends que vienne la nuit.

*

L'omelette

Mêmes girolles dans la mousse,
Même brasier sur les érables :
L'automne est la commune usure
À nos trois ombres qui se poussent
Dans l'ornière au froid secourable.
Ail et persil hachés menu,
Même omelette au soir venu.

*

Les rimes

J'aime quand mon ami marche un peu devant moi
Et que son dos traverse l'ombre et la lumière
À peu de bruit sinon de souffle et petit bois,
Et quand en haut il se retourne et qu'il me voit :
« Tout compte fait, dit-il, la vie n'est pas amère,
Au premier coup de gel on ira au brochet
Ou bien, si c'est la pluie, il y aura des bolets. »
J'aime quand mon ami fait des rimes pour moi.

Pierre PRÉSUMEY

Mes amis

Mon ami, le roi du Zambèze,
Saute à la corde le matin
Dans les allées de son jardin
Pour faire du vent sur ses fraises.
Il fait monter sa mayonnaise
Et tourner son eau en boudin.

Mon ami, le duc d'Aramite,
A le nez en queue de cochon,
Les cheveux en tire-bouchon,
La bouche en gueule de marmite,
Des oreilles rongées aux mites
Et les orteils en cornichons.

Mon ami, le prince Aprèsboire,
Monte l'escalier sur les mains,
Marche à l'envers sur le chemin,
Se gratte sur sa balançoire.
Il écrit de drôles d'histoires
Avec ses pieds, sur parchemin.

Mon amie, la reine Zézette,
Habite un vieux palais chinois.
Elle ne mange que des noix.
Elle jongle avec des planètes,
Des oranges et des noisettes,
Des melons et des petits pois.

Mon ami, le président Zappe,
S'habille comme un perroquet.
Sa tête est un grand bilboquet
Qu'il lance en l'air et qu'il rattrape.
Ses narines sont deux soupapes.
Il bégaye, il a le hoquet.

J'ai des amis de toutes sortes,
Gentils avec moi, très polis,
À Paris, à Rome, au Chili,
Leur amitié me réconforte.
C'est la nuit qui me les apporte
Lorsque je rêve dans mon lit.

Jacques CHARPENTREAU

Dialogue

Mais oui
c'est comme ça
je n'y puis rien
c'est à prendre
ou à laisser
je l'ai reçu de la sorte
vous le prenez
comme ça vous vient
faites comme chez vous
c'est tout à votre honneur
je vous en prie
je n'en ferai rien
mais si
mais non
en êtes-vous sûr
bien évidemment
après vous
bien au contraire
c'est promis
je lui en parlerai
à bientôt

au téléphone
ou par la poste
ou bien à déjeuner
mais si mais si
à vous revoir
cher ami.

Marc Étienne

Dioscures

(ou jamais l'un sans l'autre)

Comme le verre et le vin
Comme la pierre et le lierre
Comme deux doigts de la main
Comme l'œil et la paupière

Comme la glace et le tain
Le vitrail et la lumière
La rivière et le chemin
Le taillis et la clairière

Comme l'encre et l'encrier
Pour un trait qui ne dévie
Et la plume et le papier
Au grand cahier de la vie

Comme l'horloge et le temps
Comme la somme et le nombre
Comme la vague et le vent
Comme le soleil et l'ombre

Dans le monde ou dans les fables
Ce sont les inséparables.

Jean GUICHARD-MEILI

Le juste

à Raymond

Parole d'honneur :
Notre joie de vivre
est d'avoir connu
homme franc comme or,
clair comme eau de source,
jamais songe-creux,
ayant feu sacré.

Il se coupe en quatre,
remue ciel et terre
et tient le bon bout
à tout bout de champ.

Je crie sur les toits
à cor et à cri,
à tu et à toi :
« la fière chandelle
que nous lui devons ! »

Jean LESTAVEL

Julie d'ailleurs

une lettre de toi
Julie d'ailleurs et d'aventure
une page très bleue
la brise   l'azur   la mer
deux timbres aux dents dorées
une adresse et un cœur

Julie partie   Julie l'amie
tes mots jouent à la balle
aux astres tapageurs
leurs parfums étourdis se glissent
sous le chapeau clair de ton rire

Françoise LISON-LEROY

Chanson des sirènes

Chaque sirène avait sa note
En ces temps où régnait Octave.
Leur chant bravait parfois les graves
Marins ou les puissants cyclopes.

Si Ré, sirène habitait RÉ
C'est qu'elle aimait accélérer
Le chant dont elle redorait
Sa queue d'écailles effarées.

MI fut éclose à mi carême
Lorsqu'on émit les mirlitons
L'Émir, lit-on, était le même
Ami du rire à Rimaton.

La gaieté vole sur les herbes
FA la sirène s'en coiffa
Portant des nattes d'un blond seigle
Sirène au demeurant affable.

SOL était si proche du sol
Qu'il ne fallait se désoler
Des mélodies sollicitées
Dont s'honorait son entresol.

LA sur les ruines de Palmyre
Aimait la douleur d'amour las
Qu'elle soufflait jusqu'aux navires
D'Ulysse en mer lié au mât.

SI faillit rompre la tempête
Parmi les vagues déchaînées ;
Si belle était SI que Cybèle
Lui jalousa ses yeux son nez.

UT vivait dans une cahute
Sur l'île où poussent les palmiers.
Elle n'aimait rien que sa hutte
Où se croisaient les escaliers.

Chaque sirène avait sa note
Ainsi le note la chanson,
Charmant de leurs chants l'horizon
La mer où naviguent les flottes.

Sirènes reines souveraines
Dispensez-nous secrets et dons
Enchantez-nous douces marraines
De mélodies à l'unisson.

Philippe DELAVEAU

Au café du lycée

Entre deux cours un peu trop longs,
Chaque jour tu reviens poser
Ton regard noir, calme et profond
Sur des ouvrages compliqués :
Les équations indéchiffrables.
La vie de Joris-Karl Huysmans.
Dans un troquet, à une table,
Pas très loin de l'adolescence.

Je te rejoins. Et tu fermes tes livres
Et tu ouvres la bouche. Parlons,
De nos paroles soyons ivres !
Deux cafés et deux verres d'eau, garçon !
Tu pourrais être, quelle audace,
Mon amie, mon amour ? mais c'est trop dangereux.
Nous sommes camarades de classe.
Il y a eu pire. Il y a eu mieux.

Parlons, de nos paroles soyons ivres !
Au diable les disputes, les tragédies ou les coups bas,
J'ai un projet facile à vivre :
Si on allait au cinéma ?

Jean-Luc DESPAX

Gens du voyage

Salut à vous gens du voyage,
rôdeurs de l'ombre et du soleil,
vous qui marchez dans les nuages,
grands trafiquants de merveilles !

Jongleurs de mots ripolinés,
dompteurs de fauves très savants,
bouffons à la trogne allumée,
fameux arracheurs de dents,

Vous qui buvez à pleins poumons
le bleu du ciel dans les étoiles,
vous dont le cœur dans les voiles
est coffre gorgé de chansons !

Ô mes amis de l'invisible,
chers compagnons des pas perdus,
qui prenez toujours pour cible
un regard d'oiseau inconnu :

Emportez-moi dans vos bagages,
dans votre élan, vos cabrioles,
mon âme soit cette aile folle
dont vous frôlez le rivage !

Sous le soleil ou sous l'orage,
salut à vous gens du voyage !

Jean-Pierre VALLOTTON

Les moineaux et le vautour

Que les moineaux soient sympathiques,
Je n'irai pas le contester ;
Mais qu'ils soient de fins politiques,
Des esprits retors et futés,
Des aigles de subtilité,
C'est gentil, c'est charmant, c'est un brin romantique ;
Malgré tout je reste sceptique ;
J'ai quelques raisons d'en douter.

Un vautour faisait grand carnage
Parmi le peuple des cui-cui.
Le vautour est un personnage
Qu'on ne saurait nourrir de sucre ou de biscuits,
Mais le mien l'emportait sur tous ses congénères ;
C'était le plus vorace et le plus sanguinaire :
Ce monstre pour son ordinaire
Prélevait sans pitié sa dîme d'innocents ;
La panique allait grandissant.
— Amis, dit un moineau, si nous voulons survivre,
Il est temps de nous activer.
Tous aussitôt de l'approuver :
— Bravo ! Très bien ! Quelle est la marche à suivre ?
— Nous devons nous mobiliser ;
Nous devons nous organiser ;
Nous devons nous choisir quelqu'un qui nous protège :
Un tuteur, un père, un parrain,
Un de ces princes que l'on craint,

Un guide, un leader, un stratège,
Un duc, un capitaine, un dictateur, que sais-je ?
Bref, pour tout dire, un souverain.
La fermeté de ce langage
Rend courage au peuple affolé.
Qui choisir ? Le débat s'engage :
— Le merle ? — Il n'est bon qu'à siffler.
— Le coq ? — Il ne sait pas voler.
— Le bouvreuil, le pinson feraient piètre figure.
— La cigogne, à coup sûr, aurait plus d'envergure,
Mais elle a trop à faire à porter les bébés
Et risque avant l'hiver de nous laisser tomber.
— Le rossignol ne convient guère...
— Pour la colombe, oublions-la !
— Le dindon fait un peu vulgaire...
— Non, non, dit l'orateur, aucun de tous ceux-là !
Ce qu'il nous faut, c'est un foudre de guerre,
Un Alexandre, un Attila,
Un second grand moghol dont le haut patronage
Inspire assez de crainte à tout le voisinage,
Or quand je cherche aux alentours,
Je n'en vois qu'un : c'est le vautour.
Lui seul est puissant, redoutable,
Affreux, terrible, épouvantable.
Plaçons-nous, mes amis, sous son protectorat ;
Je suis sûr qu'il acceptera.

Sur quoi déboucha cette histoire,
Libre à vous de l'imaginer.
Depuis lors, j'ai tendance à croire
Les moineaux gentils mais bornés.

Jean-Luc Moreau

Lorsque Dieu...

Lorsque Dieu sifflera la fin de la récré,
J'aurai le cœur si plein de toutes ses merveilles
Qu'il devra, je le crains, me tirer par l'oreille
Pour dans la classe, à reculons, me faire entrer.

J'irai m'asseoir auprès du poêle avec les cancres,
Ceux qu'on peut reconnaître à leurs doigts tachés d'encre :
François Villon, Verlaine et René Guy Cadou...
Marceline et Sapho nous feront les yeux doux,
– Des yeux vertigineux comme des paysages
Dans lesquels on voudrait se perdre, où l'on pressent
Je ne sais quoi d'obscur, d'éblouissant –
Et déplieront sous leurs pupitres nos messages,
Alexandrins boiteux, blasphèmes d'enfants sages,
Avant de les cacher, vite, dans leur corsage
En rougissant...

Et nous nous aimerons sans que ce soit un crime,
Nous nous accorderons comme les rimes riment ;
Lorsque Dieu nous dira : « Récitez vos leçons »,
Nous lui dirons : « Seigneur, écoutez nos chansons... »

Nous aurons comme hier dans le fond de nos poches
Des billes de couleur, des mèches d'amadou,
Des morceaux de brioches,
Des marrons, des pétards, du zan, du roudoudou,
Et de la boue à nos galoches...

Et quand viendra le soir et qu'au loin, solitaire,
Quelque part vers Aldébaran,
Scintillera là-bas, cette étoile, la Terre,
Nous serons tout farauds, nous la classe des grands,
Admis sans grand mérite à la vie éternelle,
De pouvoir évoquer ceux de la maternelle :
Les mortels en exil à l'autre bout des cieux,
Qui n'ont pas encor lu le grand livre de Dieu.

Jean-Luc MOREAU

La maison amie

Elle attendait de tout son toit
son poids de soleil et d'amis,
des marguerites dans les doigts,
du blanc sur la table et les lits.

On y croquait l'olive verte,
on y poignardait le gigot
en laissant la fenêtre ouverte
le grand air n'est jamais de trop.

D'abord on parlait doucement
puis l'on faisait avec les mots
des sortes d'éclaboussements
de bonheur à chaque propos...

Micheline DUPRAY

Écris-moi

Ne cherche pas comment ;
Ne cherche pas pourquoi.
Écris-moi. Simplement.
Laisse jaillir ta joie,
Et tes cris, et ta peine.
Laisse tourner tes mots
Entre l'épine et la verveine.
Délivre-les de leurs cachots.

Que tes mots soient ouverts,
Que tes mots soient de soie.
    Qu'ils soient bleus,
    Qu'ils soient verts
Mais qu'ils viennent de toi !

Mets ta tête à l'envers
Et ton cœur à l'endroit !

Jean-Yves Roy

Noces de l'amitié

Pour les noces de l'amitié
il faudrait s'habiller d'aurore.
Des champignons blancs pousseraient
là, sous nos pieds,
aussi drus que les boutons d'or.

Partout des fusées de souhaits
pour emporter très loin la joie,
partout des mains qui se tiendraient,
se retiendraient
comme à d'invisibles courroies.

Tout le bien se laisserait faire,
tout le beau se laisserait dire
en long, en large et en travers
dans le navire
de nos yeux plus grands que la mer...

Micheline DUPRAY

Les amis littéraires

C'est la faute à François
La faute à Baudelaire
C'est la faute à François
Et à l'Apollinaire
C'est la faute à Victor
À l'empereur Arthur
Que je sois devenu un poète, c'est sûr.

Et c'est la faute aux trois
de Montevideo.
C'est la faute aux cinq Paul
Poètes idéaux,
La faute à tant de Jean,
À la Belle Cordière
Que je sois devenu poète à part entière.

Jean LESTAVEL

Regrets du poète

De chat perché
à saute-mouton
de cloche-pied
à balle au bond

jeux de l'amour et du hasard
toute la journée devant ma maison
pigeon-vole et colin-maillard
les enfants jouent à rime et à raison

main chaude, marelle ou quatre coins
jeux de mots et jeux d'adresse
cache-cache, bandits ou indiens
tout va bien, rien ne vous presse

or si parfois je me mêle à vos jeux
(car les poètes sont les amis des enfants)
et partage avec vous quelque moment joyeux,
je sais bien, moi qui suis déjà un grand,
qu'à tous ces jeux, gendarmes ou voleurs,
je ne puis, hélas, que compter pour beurre...

Jean-Pierre VALLOTTON

La vocation maritime

Ils naviguent dans la piscine
Ils ont vingt et un ans à trois
Ce qui leur plaît c'est la marine
Mais non pas la marine en bois

— Moi dit l'un je suis amiral
— Et moi je suis vice-amiral
— Et moi et moi contre-amiral
L'écho conclut : c'est admirable

Écouter l'appel de la mer
À sept ans cette idée ! Ah diable
On rêve du grand flot amer
Et l'on deviendra quoi ? — Comptable...

Vingt ans plus tard ils étaient tous les trois sur l'eau
Le premier quartier-maître et le second cuistot
Le troisième était enseigne

Ils sont restés des amis. Rage
Écho : tu t'es trompé. Larguez l'amarre
Vogue la barque et vive la marine
Vire la barque et vogue le bateau.

Jean Guichard-Meili

Les poètes de l'amitié

ALYN (Alain-Marc Fécherolle, dit Marc) (Reims, Marne, 18 mars 1937)

Poète précoce, il publia son premier recueil à dix-sept ans (*Le Chemin de la Parole*) et il reçut le Prix Max Jacob le jour de ses vingt ans (*Le Temps des autres*, Seghers). Ses nombreux recueils expriment certains moments de sa vie personnelle et les grands thèmes de la tradition (*Infini au-delà*, Flammarion, 1972. *Compagnons de la Marjolaine*, Enfance heureuse, 1986. *Byblos*, L'Harmattan, 1991. *Le Scribe errant*, *id.*, 1993).

44, 124, 150.

ANDRÉ Willy (Paris, 30 juin 1968)

C'est sous un pseudonyme qu'un jeune poète publie ses premiers textes dans ce recueil. Après des études d'anglais littéraire, il est informaticien.

66, 67, 177.

BANCAL Jean (Paris, 18 mars 1926)

De multiples métiers qui l'ont conduit à enseigner en Sorbonne lui font revendiquer la poésie comme « respiration pour vivre ». Sa poésie, d'inspiration chrétienne, est lyrique et flamboyante. Il se veut poète d'un translyrisme qui unifie tout (*L'Arbre de vie*, Silvaire, 1960. *Le Chemin des hommes*, *id.*, 1962. *D'un même amour*, Laudes, 1988. Etc.).

116, 121.

BAUDRY Gilles (Saint-Philbert-de-Grand-Lieu, Loire-Atlantique, 27 avril 1948)

Influencé par René Guy Cadou et Milosz, il écrit des poèmes dès son entrée au séminaire de Nantes. Il est actuellement bénédictin à l'abbaye de Landévennec. Sa poésie est discrète, délicate, transparente, sereine. Elle mène l'âme vers le mystère (*La Trame de la vie*, Le Pallet, 1972. *Il a neigé tant de silence*, Rougerie, 1984. *La Seconde Lumière*, *id.*, 1990. Etc.).

33, 39, 63.

BÉCOUSSE Raoul (Saint-Jean-des-Vignes, Saône-et-Loire, 23 septembre 1920)

Professeur de lettres, Raoul Bécousse collabore à plusieurs journaux et revues. Ses poèmes le montrent attentif aux humbles réalités de la vie quotidienne, et sensible à la quête d'une haute spiritualité. C'est un poète de la fraternité et du mystère (*Septembre m'a comblé*, Brun et Passot, 1947. *Sept fois le jour*, Laudes, 1978. *Au bord du silence*, 1989. Etc.).

98, 108, 114, 162.

BOCHOLIER Gérard (Clermont-Ferrand, Puy-de-Dôme, 8 septembre 1947)

Il reçut en 1971 le Prix Paul Valéry, réservé à un jeune étudiant. Devenu professeur, il continue à écrire des poèmes qui évoquent souvent la nature en ses aspects les plus divers, en sa vie la plus intense, en ses correspondances avec l'âme du poète (*Enfantillages*, Oswald, 1969. *Si petite planète*, Cheyne, 1989. *Poèmes du petit bonheur*, Grand Prix de Poésie pour la Jeunesse, Fleurs d'encre, Hachette Jeunesse, 1992. *Terre prochaine*, Rougerie, 1992. Etc.).

126, 151.

CADOU Hélène (Hélène Laurent) (Mesquer, Loire-Atlantique, 4 juin 1922)

Elle inspira à son mari, René Guy Cadou, l'un des plus beaux recueils de notre poésie, *Hélène ou le Règne végétal* (Seghers, 1952). Mais sa propre poésie, dans un ton très personnel, possède une grande originalité : poésie secrète, sans effets, d'une pureté bouleversante, avec la force de l'évidence (*Le Bonheur du jour*, Seghers, 1956. *Poèmes du temps retrouvé*, Rougerie, 1985. *Demeures*, *id.*, 1989. *Retour à l'été*, La Maison de Poésie, 1993. Etc.).

109, 118, 159, 166, 170.

CALONNE Michel (Grenoble, Isère, 28 mars 1927)

Ayant été successivement comédien, bibliothécaire, publicitaire, Michel Calonne est aussi un écrivain subtil, auteur de romans et de nouvelles. *Un Silex à la mer* (Gallimard, 1991) a obtenu un Prix de La Maison de Poésie et un autre de l'Académie française (*L'Arbre jongleur*, La Maison de Poésie, 1993).

38.

CHABRUN Jean-François (Mayenne, 1920)

Après avoir été incarcéré à Rennes durant l'exode (sous l'inculpation de trotskisme), Jean-François Chabrun créa le groupe « La Main à plume » qui résista à l'occupation allemande et publia notamment *Liberté* de Paul Éluard, clandestinement. Poète et écrivain d'art, Jean-François Chabrun est aussi l'auteur de récits et d'essais. Sa poésie est forte et imagée (*Qui fait la pluie et le beau temps*, La Main à plume, 1941. *Paysages*, 1960. *Les Chantiers chimériques*, Flammarion, 1970).

115, 141.

CHARPENTREAU Jacques (Les Sables-d'Olonne, 25 décembre 1928)

Directeur de la collection Fleurs d'encre. Ses poèmes sont rassemblés en une vingtaine de recueils (*Le Romancero populaire*, Éditions ouvrières, 1957. *Le Fil d'or*, La Maison de Poésie, 1990. *Musée secret*, *id.*, 1992. *Le Chant de la lumière*, *id.*, 1993. Etc.).

16, 32, 184.

CHEDID Andrée (Le Caire, Égypte, 1920)

Habitant Paris depuis 1946, Andrée Chedid est l'auteur d'une œuvre abondante : pièces de théâtre, romans (dont le célèbre *Sixième Jour*, Flammarion, 1960), recueils de poèmes (*Visage premier*, *id.*, 1972. *Textes pour un poème*, Flammarion, 1987. *La Grammaire en fête*, Folle avoine, 1988. *Poèmes pour un texte*, Flammarion, 1992).

50, 175.

DECAUNES Luc (Marseille, Bouches-du-Rhône, 2 janvier 1913)

D'abord instituteur à Paris (à partir de 1931), Luc Decaunes fonda la revue *Soutes* (1935) qui publiait des poètes révolutionnaires. Après sa captivité en Allemagne, il fut l'un des animateurs de Radio-Dakar. De retour en France (1958), il travailla à l'Institut Pédagogique. Sa poésie, influencée par le surréalisme, est imagée et d'une grande intensité (*L'Indicatif présent ou l'infirme tel qu'il est*, Soutes, 1938. *Raisons ardentes*, La Renaissance du livre, 1963. *Mortification des fontaines*, La Bartavelle, 1978. *Poésie*, La Maison de Poésie, 1992).

18, 78.

DELAVEAU Philippe (Paris, 18 mai 1950)

Il a vécu longtemps en Angleterre qu'il considère un peu comme son second pays. Enfant, il rêvait de devenir compositeur de musique et chef d'orchestre. Il a dû réviser ses choix, mais ce goût pour la musique se retrouve dans l'harmonie de ses poèmes (*Eucharis*, Gallimard, 1989. *Le Veilleur amoureux*, *id.*, 1992. *Les Secrets endormis*, Les Écrits des Forges, 1993).

30, 97, 99, 120, 192.

DERÈSE Anne-Marie (Franière, Belgique, 22 juillet 1938)

Ayant fait des études artistiques, Anne-Marie Derèse ne publia son premier recueil qu'en 1980. Sa poésie est forte, directe, suggestive (*Nue sous un manteau de paroles*, Maison Internationale de la Poésie, 1980. *Un Pays de miroir*, J. Dieu-Brichart, 1982. *Visage volé à l'oiseau*, *id.*, 1985. *La Nuit s'ouvre à l'orage*, Le Cherche-Midi, 1990).

14, 27, 43, 71, 136.

DESNOUES Lucienne (Saint-Gratien, Val-d'Oise, 16 mars 1921)

Encouragée à ses débuts par Colette et Charles Vildrac, Lucienne Desnoues écrit une poésie s'inspirant de thèmes très simples (la nature, la vie familiale, etc.), mais toujours sensible, habile, rigoureuse, renouvelant les formes traditionnelles par des images fraîches et colorées (*Jardin délivré*, 1947. *La Fraîche*, Seghers, 1958. *Le Compotier*, Enfance heureuse, 1982. *Quatrains pour crier avec les hiboux*, Gérard Oberlé, 1984. *Dans l'éclair d'une truite*, Gérard Oberlé, 1990. *Fantaisies autour du trèfle*, Cahiers de Garlaban, 1992).

110, 127, 142, 155, 180.

DESPAX Jean-Luc (Lombez, Gers, 2 mai 1968)

Après des études de lettres à Toulouse, Jean-Luc Despax est devenu professeur dans la région parisienne. Il a obtenu en 1991, sur manuscrit anonyme, le Prix Arthur Rimbaud

(*Grains de beauté*, La Maison de Poésie). En ses poèmes, se retrouve son goût des voyages à travers l'Europe (*Équations pour une inconnue*, La Maison de Poésie, 1994).

34, 40, 94, 112, 194.

DESPERT Jehan (Versailles, Yvelines, 11 février 1921)

Auteur d'une œuvre importante de critique artistique et poétique, Jehan Despert est avant tout un poète dont l'œuvre (une quinzaine de recueils) fut justement couronnée par de nombreux Prix (*La Saint-Jean d'été*, Éditions Ronsard, 1947. *Les Géorgiques sauvages*, Cahiers d'Île-de-France, 1959. *Sel*, Gerbert, 1988. *Stèle pour Jean Cocteau*, *id.*, 1990. Etc.). C'est sur sa suggestion que le département des Yvelines porte ce nom.

77, 140, 178.

DUPRAY Micheline (Marsainvilliers, Loiret)

Après plusieurs années dans l'enseignement, Micheline Dupray a publié depuis 1963 une dizaine de recueils poétiques qui lui ont valu de nombreux Prix littéraires (*Attente*, Hérissey, 1966. *Trains amers*, Saint-Germain-des-Prés, 1981. *Crier l'absence*, Trèfle à cinq feuilles, 1989. Etc.).

60, 76, 164, 200, 202.

ÉTIENNE Marc (Le Perreux, Val-de-Marne, 31 mars 1955)

Après des études supérieures de biochimie et de biologie, Marc Étienne devient directeur international du marketing d'une grande firme à Paris. Il a publié *Pensées froissées* (T.A.L.M., 1981), *Détails en feu* (Argoud Bohême, 1988) et *En vers ou en droit* (1992).

168, 186.

GAMARRA Pierre (Toulouse, Haute-Garonne, 10 juillet 1919)

Il a fait à l'université de Toulouse des études interrompues par la guerre et il participe alors à la Résistance à l'occupation allemande. Devenu journaliste à Paris, il écrit des romans, des pièces de théâtre, des poèmes. Sa poésie est simple, chantante, toujours harmonieuse (*Un Chant d'amour*, Henneuse, 1959. *Des Mots pour une maman*, Enfance heureuse, 1984. *Romances de Garonne*, Messidor, 1990. Etc.).

23, 54, 58, 70, 74, 139, 160.

GODEAU Georges L. (Villiers-en-Plaine, Deux-Sèvres, 31 mars 1921)

Ingénieur du Génie rural, Georges L. Godeau a rencontré pendant toute sa carrière la réalité de la vie quotidienne. Ses poèmes en prose sont nés de ses rapports avec les hommes et les choses, à travers son travail sur le terrain. Sa vision est toujours juste, exacte, poétique (*Les Mots difficiles*, Gallimard, 1962. *Venez, je vous emmène*, Éditions ouvrières, 1979. *C'est comme ça*, Le Dé bleu, 1988. *Après tout*, *id.*, 1991. Etc.).

55, 72, 144, 145.

GODEL Vahé (Genève, Suisse, 1931)

Poète de Suisse romande, Vahé Godel est d'origine arménienne. Il est l'auteur d'une douzaine de recueils de poèmes dont *Signes particuliers* (Grasset, 1969), *L'Heure d'or* (Le Dé bleu, 1985), *La Chute des feuilles* (La Baconnière, 1989), *Le Goût de la lecture* (Le Dé bleu, 1992).

46, 92, 104, 106, 148.

GUICHARD-MEILI Jean (Paris, 6 mars 1922-1994)

Conservateur à la Bibliothèque nationale, Jean Guichard-Meili a écrit de remarquables études sur l'art et il a collaboré à de nombreux journaux et revues. Sa poésie unit la banalité apparente du quotidien à l'imagination débordante, le langage ordinaire à la plus fertile invention. Il a su voir et faire voir en poète (*L'Avant-Sommeil*, Coprah, 1979. *Journal sans je*, Belfond, 1981. *Thésaurus*, Calligrammes, 1985. Etc.).

42, 188, 205.

GUILBAUD Luce (Jard-sur-Mer, Vendée, 26 juillet 1941)

Professeur d'arts plastiques, Luce Guilbaud est peintre et poète. Elle a illustré des revues et des recueils. Son œuvre personnelle est à la fois dense et sensible (*La Mutation des racines*, Saint-Germain-des-Prés, 1975. *Les Repaires de la nuit*, Le Dé bleu, 1979. *Le Dormeur d'épaves*, Décharge, 1986). Elle a écrit pour les enfants *Les Moustaches vertes* (Le Dé bleu, 1986), *La petite feuille aux yeux bleus* (*id.*, 1992).

26, 56, 65, 68, 138, 146, 147.

HAULOT Arthur (Angleur, Belgique, 15 novembre 1913)

Journaliste, puis commissaire général au Tourisme belge, Arthur Haulot résista à l'occupation allemande et il fut déporté à Mathausen, puis Dachau (il fut élu Président du camp à la Libération). Il dirige la Maison Internationale de Poésie qu'il a créée à Bruxelles. Son œuvre poétique est importante : *Nous* (1933), *Poèmes du temps retrouvé* (1954), *Genèse* (1972), *Plaisirs d'amour* (Pour le plaisir, E.V.O., 1988). Prix du Brabant.

52.

HOUDELOT Robert (Nancy, 18 février 1912)

Tout en faisant carrière dans l'administration, Robert Houdelot a écrit, toujours avec discrétion et modestie, une œuvre poétique très importante par sa sensibilité et sa grâce. Proche de Francis Carco et des Fantaisistes, un lyrisme tendre et pudique, teinté d'un peu de mélancolie, enchante une œuvre particulièrement harmonieuse : *Fugue un peu triste* (1934), *Le Temps perdu* (1937), *Toi qui dormais entre mes bras* (1947), etc. Il a réuni ses plus beaux poèmes dans *Le Laurier noir et autres poèmes* (La Maison de Poésie, 1991).

51.

JOUBERT Jean (Châlette-sur-Loing, Loiret, 27 février 1928)

Issu d'une famille de paysans et d'artisans, Jean Joubert devint professeur d'anglais. Il fit de nombreux voyages en Europe et en Amérique. Romancier à succès, il reçut le Prix Renaudot (*L'Homme de sable*, Grasset, 1975) et le Prix de la Fondation de France (*Les Enfants de Noé*, L'École des Loisirs, 1988). Sa poésie, riche d'images, s'est exprimée en vers réguliers ou en vers libres (*Les Lignes de la main*, Seghers, 1955. *Les Poèmes, 1955-1975*, Grasset, 1977. *Les Vingt-Cinq Heures du jour*, *id.*, 1987. Etc.).

17, 91, 96, 133, 149.

JOURDAN (Louis Bernard, dit Bernard) (Ollioule, Var, 1er février 1918)

Instituteur dans l'école où il avait été élève, puis professeur, Bernard Jourdan a écrit peu de poèmes, en a publié moins encore. C'est assez pour que se soit imposée une voix volontairement discrète mais originale, celle d'un poète qui ne veut livrer au lecteur que des œuvres proches de la perfection (*Midi à mes portes*, La Tour de Feu, 1951. *Monologue de l'an*, Folle avoine, 1988. *Adieu grand vent*, L'Arbre à Paroles, 1991. *Dix-Sept Élégies*, Folle avoine, 1992. Etc.).

90, 102, 123, 132, 134.

KHOURY-GHATA Vénus (Liban, 23 décembre 1937)

De culture française, mais également de culture arabe, Vénus Khoury-Ghata a mené en France une carrière de romancière, de critique littéraire et de poète. Sa poésie a été influencée par le surréalisme, par le goût de l'insolite et la liberté de l'imagination (*Terres stagnantes*, Seghers, 1969. *Qui parle au nom du jasmin*, Éditeurs Français Réunis, 1980. *Monologue du mort*, Belfond, 1986. Etc.).

154.

KIESEL Frédéric (Arlon, Province de Luxembourg, Belgique, 24 février 1923)

D'abord avocat, puis journaliste de politique étrangère et de culture, Frédéric Kiesel est un grand voyageur, mais sa poésie n'est jamais exotique. C'est une poésie du bonheur et de l'inquiétude, dans le contact intime avec la nature, d'une intense sensibilité (*Élégies du temps et de l'été*, Le Verseau, 1961. *Nous sommes venus prendre des nouvelles des cerises*, Enfance heureuse, 1982. *L'autre regard*, 1988. Etc.).

13, 131.

LA SOUJEOLE Claire de (Toulouse, Haute-Garonne)

Claire de La Soujeole a écrit une œuvre poétique de grande qualité et d'une attachante sensibilité qui a été récompensée par de nombreux Prix. Sa poésie allie la passion à une versification rigoureuse (*Larmes et sourires*, Subervie, 1964. *Les Mains offertes*, Nicolas-Imbert, 1978. *Un Parfum de menthe sauvage*, Le Miroir poétique, 1984. Etc.).

28, 59.

LESTAVEL Jean (Malo-les-Bains, Nord, 4 juillet 1920)

Après avoir enseigné la philosophie, Jean Lestavel s'est consacré à la formation des adultes et à l'animation de la vie associative à des niveaux nationaux. Il a beaucoup voyagé. Sa poésie unit « la mémoire du froid » par ses origines nordiques et l'aspiration à la liberté, le quotidien et le légendaire (*Rafales*, Caractères, 1954. *En mémoire du froid*, Saint-Germain-des-Prés, 1987. *Départs*, La Maison de Poésie, 1992. Etc.).

86, 125, 190, 203.

LIBERT Béatrice (Amay, Belgique, 1er décembre 1952)

Professeur de français et de théâtre à Liège, Béatrice Libert a publié plusieurs recueils d'une poésie intense, frémissante, sensible (*Invitation*, Thalia, 1979. *Parades*, André de Rache, 1983. *Baisers volés à Paul Éluard*, Pour le Plaisir, EVO et Pierre Zech-Le Temps apprivoisé, 1989. Etc.).

61, 85, 100, 167.

LISON-LEROY Françoise (Opbrakel, Flandre occidentale, Belgique, 6 octobre 1951)

Enseignant le français à Tournai depuis 1971, Françoise Lison-Leroy participe activement à la vie poétique. Elle est animatrice en atelier d'écriture (*L'Écrivanderie*) et critique littéraire. Sa poésie, très diverse, s'inspire de la nature, de l'amour, de l'enfance (*L'Apprivoise*, Unimuse, 1984. *Elle, d'urgence*, L'Arbre à Paroles, 1989. *Le Chemin baumier*, *id.*, 1989. *Pays géomètre*, L'Âge d'homme, 1991. Etc.).

41, 81, 88, 169, 191.

LORRAINE (Bernard Diez, dit Bernard) (Greux-Domrémy, Vosges, 6 février 1933)

Après un long séjour en Amérique latine (Brésil, Mexique), Bernard Lorraine est professeur dans la province qui lui a donné son pseudonyme. Sa poésie est forte, diverse, exprimant aussi bien la révolte que la tendresse. La métaphysique et l'humour font bon ménage dans une œuvre abondante et de grande allure (*Seul*, Le Terrain vague, 1964. *Sept*, Pour le Plaisir, EVO et Pierre Zech-Le Temps apprivoisé, 1986. *Le Temps comme il vient*, La Maison de Poésie, 1991. Etc.).

87, 153, 156, 181.

MALLET Robert (Paris, 15 mars 1915)

Blessé à la guerre en 1939, puis en 1940, fait prisonnier, Robert Mallet s'est évadé et il a participé à la Résistance. Sa carrière de professeur l'a mené à fonder l'université de Tananarive, à être ensuite recteur à Amiens, puis à Paris (1969-1980). Romancier, essayiste, critique, il est également un poète dont la méditation s'impose par des formules denses, exactes, imagées (*Les Douleurs*, Laffont, 1948. *Lapidé lapidaire*, Gallimard, 1957. *Silex éclaté*, *id.*, 1974. *Cette plume qui tournoie*, *id.*, 1988. *Semer l'arbre*, *id.*, 1991. Etc.).

37.

MELIK Rouben (Paris, 14 novembre 1926)

Après avoir participé à la Résistance à l'occupation allemande, Rouben Melik est journaliste, puis directeur littéraire des Éditeurs Français Réunis. Dans une vingtaine de recueils, il a publié une poésie souvent de forme classique, chargée d'images et très harmonieuse (*Le Chant réuni*, Seghers, 1960. *La Procession*, Rougerie, 1984. *L'ordinaire des jours*, Motus, 1990. Etc.).

64, 113.

MONJO Armand (Cavaillon, Vaucluse, 1er septembre 1919)

Après avoir participé dans les Hautes-Alpes à la Résistance contre l'occupation allemande, Armand Monjo enseigne l'italien. Sa poésie, très sensible aux forces de la nature, exprime aussi une recherche plus philosophique du sens du monde (*Univers naturel*, Seghers, 1965. *Quatre noms pour nos visages*, Pour le Plaisir, EVO et Pierre Zech-Le Temps apprivoisé, 1986. *99 coplas*, Rougerie, 1994. Etc.).

152, 157, 163.

MONNEREAU Michel (Parnay, Cher, 3 décembre 1943)

Concepteur-rédacteur de publicité, Michel Monnereau a publié des poèmes dans de nombreuses revues. Sa poésie est directe, mais très évocatrice (*La Leçon inquiète*, Cheyne, 1982. *Contre toi l'avenir respire*, Jacques Brémont, 1991. *La Saison des servitudes*, Cheyne, 1991).

25, 73, 173.

MOREAU Jean-Luc (Tours, Indre-et-Loire, 2 octobre 1937)

Linguiste de profession, Jean-Luc Moreau est un remarquable traducteur de la poésie. Il respecte toujours l'esprit des textes, leur versification, leur rythme. Sa propre poésie est faite d'exactitude de la vision, d'humour, de tendresse, avec une sobriété et une simplicité remarquables, qui expliquent le succès de cette poésie toujours harmonieuse (*L'Arbre perché*, Enfance heureuse, 1980. *La Bride sur le cœur*, La Maison de Poésie, 1990. *Devinettes*, Fleurs d'encre, Hachette, 1991. *Poèmes de la souris verte*, *id.*, 1992).

196, 198.

NYS-MAZURE Colette (Brabant, Belgique, 14 mai 1939)

Enseignant le français, Colette Nys-Mazure est également animatrice en atelier d'écriture et de lecture vivantes. Sa poésie est à la fois très précise et très alerte, soulevée par une ferveur sensible (*D'amour et de cendres*, Unimuse, 1977. *Pénétrance*, *id.*, 1981. *Haute-Enfance*, Grand Prix de Poésie pour la Jeunesse, L'Arbre à Paroles, 1990. *Singulières et plurielles*, La Bartavelle, 1992. *Arpents sauvages*, Rougerie, 1993. Etc.).

19, 80, 176.

ORIZET Jean (Marseille, Bouches-du-Rhône, 5 mars 1937)

Les grands voyages de Jean Orizet l'ont sans doute aidé à porter sur le monde ce regard du poète qui sait percer les apparences. Dans la lignée de Ségalen ou de Larbaud, il est l'un de ceux qui ont fait du monde leur patrie. Sa poésie semble être une tentative pour élucider l'énigme du monde (*En soi le chaos*, Saint-Germain-des-Prés, 1975. *Le Voyageur absent*, Grasset, 1982. *Poèmes 1974-1989*, Le Cherche-Midi, 1990. Etc.).

137.

PRASSINOS Gisèle (Constantinople, Turquie, 1920)

À quatorze ans, Gisèle Prassinos a commencé à écrire des textes automatiques remarqués par le groupe surréaliste : André Breton la surnomma « Alice II ». Après de brèves études, elle travailla comme sténodactylo, dès l'âge de dix-sept ans. Elle revint ensuite à l'écriture, et elle a publié depuis 1958 des romans, des nouvelles, des récits, des recueils de poèmes (*Les Mots endormis*, Flammarion, 1967. *Le Ciel et la terre se marient*, Enfance heureuse, 1979. *L'Instant qui va*, Folle avoine, 1985. *La Fièvre du labour*, Motus, 1989. Etc.).

22, 158.

PRÉSUMEY Pierre (Annecy, Haute-Savoie, 20 avril 1952)

Pierre Présumey enseigne les lettres classiques au lycée du Puy-en-Velay. Il a publié de nombreux recueils (*Cela convient, cela suffit*, Le Pré de l'âge, 1982. *Le Cœur besogneux*, *id.*, 1987. *La Bonne Épaule*, *id.*, 1990. *La Grande Aiguille*, Le Dé bleu, 1991. *Lettre aux amis du bord de l'eau*, Le Pré de l'âge, 1993).

95, 182.

RENARD Jean-Claude (Toulon, Var, 22 avril 1922)

Entré dans l'édition en 1947, Jean-Claude Renard a mené parallèlement un important travail poétique et critique. Sa poésie exprime une méditation ininterrompue, une quête du sens du monde et de la transcendance (*La Terre du sacre*, Le Seuil, 1966. *Les Mots magiques*, Enfance heureuse, 1980. *Toutes les îles sont secrètes*, Le Seuil, 1984. *Sous de grands vents obscurs*, *id.*, 1990. *Ce puits que rien n'épuise*, *id.*, 1993. Etc.).

29.

ROUGE Georges (Montluçon, Allier, 1961)

Plusieurs poèmes de Georges Rouge ont été publiés dans la presse pour enfants.

174.

ROY Jean-Yves (Lévis, Québec, Canada, 19 janvier 1940)

Animateur en poésie, Jean-Yves Roy donne aussi des récitals de ses œuvres et il travaille à susciter la création des jeunes. Il a séjourné à plusieurs reprises en France et en Belgique. Il a publié des recueils au Québec (*À plein corps*, Garneau, 1970. *Au clair de la lune*, Presses laurentiennes, 1980. *Mon ami Pierrot*, Naaman, 1983. *Flexigraphes*, Graficor, 1988) et en France (*J'ai ma terre en tête*, Saint-Germain-des-Prés, 1973).

21, 35, 36, 69, 117, 201.

SARTIN Pierrette (Guéret, Creuse, 1911)

Auteur d'ouvrages de sociologie, Pierrette Sartin est également une romancière de talent, et elle a écrit de nombreux recueils d'une poésie dense et grave (*Poursuites*, La Bouteille à la mer, 1939. *Reflets de l'invisible*, Crès, 1983. *Dans les vallées du temps*, *id.*, 1985. *Rives de délivrance*, 1989. *En vers et contre tout*, 1992).

20, 24, 49, 62.

TORREKENS Lucy (Dampremy, Belgique, 18 septembre 1940)

Après des études commerciales, Lucy Torrekens devint secrétaire, puis elle se consacra à ses enfants, tout en publiant des séries de cartes poétiques illustrées et des recueils de poèmes (*Échapper à l'oubli*, 1981. *En instance de vie*, 1982. *Au feu de midi*, 1984. *La Mémoire de la sève*, 1992).

57.

VALLOTTON Jean-Pierre (Genève, Suisse, 3 mai 1955)

Professeur de l'enseignement des adultes, Jean-Pierre Vallotton a traduit le poète roumain Ion Caraïon, alors en exil à Lausanne (1984) et *Jardin de poèmes pour un enfant* de R. L. Stevenson (Fleurs d'encre, Hachette Jeunesse, Livre de Poche, 1992). Ses poèmes sont d'abord publiés dans des revues, puis en recueils (*Espère*, PAP, 1987). D'un ton général assez sombre, sa poésie brille pourtant d'images fortes où le rêve et la réalité se confondent (*Tout cela brûlera*, La Bartavelle, 1992. *Brefs Blasons pour Polymnie*, 1/2 Vaca, Madrid, 1992).

101, 122, 195, 204.

WOUTERS Liliane (Ixelles, Belgique, 5 février 1930)

Enseignante pendant trente ans. L'un des plus grands poètes belges d'aujourd'hui. Avec *La Marche forcée* (Édition des artistes, 1954), elle s'est fait connaître par des poèmes souvent mystiques, d'une étonnante fermeté et d'une grande sensibilité, d'une facture néoclassique. Des extraits de ses principaux recueils (*Le Bois sec*, Gallimard, 1960. *Le Gel*, Seghers, 1966) ont été repris avec des inédits dans *L'Aloès* (Luneau-Ascot, 1983). Sa poésie s'est faite plus méditative (*Journal du Scribe*, Simoncini, 1986).

31, 105, 111.

Table des poèmes

Le temps de l'amitié

Amis du souvenir

FLEURS D'ENCRE

collection dirigée par Jacques Charpentreau

• LE LIVRE DE POCHE JEUNESSE •

Recueils

Gérard BOCHOLIER, *Poèmes du petit bonheur.*
Grand Prix de Poésie pour la Jeunesse 1991.
Jacques CHARPENTREAU, *Prête-moi ta plume !*
Pierre CORAN, *Jaffabules.*
Grand Prix de Poésie pour la Jeunesse 1989.
Claude Haller, *Poèmes du petit matin.*
Grand Prix de Poésie pour la Jeunesse 1993
Jean-Luc MOREAU, *Poèmes de la souris verte.*
Robert Louis STEVENSON, *Jardin de poèmes pour un enfant.*
Édition bilingue. Version française de Jean-Pierre Vallotton.
Maurice CARÊME, *À l'ami Carême.*
Maurice CARÊME, *Au clair de la lune.*

Florilèges

Les Animaux des poètes.
Berceuses de toujours.
Paroles et musique.
La Cigale, le Renard et les autres.
100 fabulistes, 250 fables.
Demain, dès l'aube...
Les 100 plus beaux poèmes pour la jeunesse.
L'Écharpe d'iris.
Les plus beaux poèmes du Grand Prix de Poésie pour la Jeunesse.
L'École des poètes.
Les Éléments des poètes : l'air, la terre, l'eau, le feu.
Une Europe des poètes.
Luttes et luths.
Paraphes.
50 poètes, 250 poèmes inédits manuscrits.

Anthologie

Trésor de la poésie française.

Volume 1. *Moyen Âge, XVIe et XVIIe siècles.*

Volume 2. *XVIIIe et XIXe siècles.*

Volume 3. *XXe siècle.*

Mille ans de poésie. Accessible aux jeunes, un ouvrage de référence pour le plaisir et pour l'étude.

Moyen Âge : François Villon, Charles d'Orléans, Rutebeuf, Christine de Pisan, Troubadours et trouvères.

XVIe : Pierre de Ronsard, Joachim du Bellay, Clément Marot, Jean-Antoine de Baïf, Louise Labbé, Rémi Belleau, Théodore Agrippa d'Aubigné.

XVIIe : Jean de La Fontaine, Saint-Amant, François de Malherbe, François Mainard, Théophile de Viau, Boileau, Corneille, Racine.

XVIIIe : André Chénier, Florian, Voltaire.

XIXe : Victor Hugo, Paul Verlaine, Gérard de Nerval, Charles Baudelaire, Alphonse de Lamartine, Alfred de Musset, Marceline Desbordes-Valmore, Alfred de Vigny, Arthur Rimbaud, Stéphane Mallarmé, Théophile Gautier, Jules Laforgue, Henri de Régnier, José Maria de Heredia, Théodore de Banville, Leconte de Lisle, Jean Moréas.

XXe : Guillaume Apollinaire, Jacques Prévert, Louis Aragon, Paul Éluard, René Guy Cadou (avec Hélène), Robert Desnos, Claude Roy, Jules Supervielle, Marie Noël, Jean Cocteau, Patrice de La Tour du Pin, Blaise Cendrars, Paul Valéry, Anna de Noailles, Max Jacob, Jean-Claude Renard, Jules Romains, Jean Tardieu, René Char, Boris Vian, Charles Péguy, Paul Claudel, Guillevic, Pierre Emmanuel, Saint-John Perse.

• ALBUM ILLUSTRÉ •

Devinettes.

Poèmes de Jean-Luc Moreau sur des images de Louis Constantin.

IMPRIMÉ EN FRANCE PAR BRODARD ET TAUPIN
Usine de La Flèche, 72200.
Dépôt légal Imp : 3997 B-5 – Edit : 576.
32-10-0822-01-0 – ISBN : 2-01-019200-1.
Loi n° 49-956 du 16 juillet 1949 sur les publications destinées à la jeunesse.
Dépôt : septembre 1994.